당신, 끝까지 살아남아라

당신, 끝까지 살아남아라

2021년 5월 17일 초판 1쇄 발행
2021년 5월 17일 초판 1쇄 인쇄

지은이　 |신동준

편집　　 |송세아
표지　　 |theambitious factory
인쇄　　 |아레스트

펴낸이　 |이장우
펴낸곳　 |꿈공장 플러스
출판등록 |제 406-2017-000160호
주소　　 |서울 성북구 보국문로 16가길 43-20 꿈공장 1층
전화　　 |010-4679-2734
팩스　　 |031-624-4527
이메일　 |ceo@dreambooks.kr
홈페이지 |www.dreambooks.kr
인스타그램|@dreambooks.ceo

ISBN 　|979-11-89129-88-0

정 가 　|15,000원

당신, 끝까지 살아남아라

항공사 인사팀장이 전하는 '뼈' 때리는 팩트 폭격!

1장. 취뽀는 센스가 아니라 진심이다

1. 승무원 지망생에게

2. 그 외 취업준비생에게

2장. 지금 당신에게 필요한 건 회사생활 만렙을 위한 잔소리이다

1. 꼰대들이 싫어하는 불량감자에게 들려주는 약소리

2. 훌륭한 리더십 역량에 관한 약소리

3. 성공적인 인적 네트워크를 만드는 약소리

3장. 인사(HR)만 잘해도 안 망한다

1. HR 제도 설계와 운영 담당자에게

이 글을 시작하며

아시아나항공에 소속되어 있는 20여 년 동안 인사업무를 담당했다. 인사업무가 무엇인지도 모르고 시작했었고 중간 중간에 회피하고 싶어 했으나, 어느 순간이 되면 다시 인사업무에 돌아가 있었다. 아마도 나의 바람보다는 회사의 니즈가 더 컸던 것 같다. IMF 외환위기(1997년), 911 뉴욕 세계무역센터 테러(2001년), SARS(2003년), 리먼 브라더스 금융위기 사태(2008년), MERS(2015) 그리고 코로나 19(2020년도)처럼 수년 주기로 항공사의 생존을 위협하는 일들이 벌어졌다. 그때마다 아시아나항공은 직원들의 자발적인 희생과 처절한 사투로 위기를 모면할 수 있었다. 그러나 회사는 매각이라는 불행과 코로나 19라는 사상 초유의 위기 상황을 버텨내지 못하고 사라질 위기에 처하였고, 당시에 나는 인사팀장의 자리에 앉아 있었다. 회사를 위한 직원들의 헌신적인 희생 속에서도 회사는 매각되었고 나는 책임을 통감하여야만 했다.

아시아나항공의 인사책임자로서 평탄치 못한 길 위에서 많은 시행착오를 겪으면서 걸어온 길이다 보니, 내가 겪었던 경험과 생각을 누군가는 필요로 할 것만 같았다. 그래서 용기를 내어 글을 써보기로 하였다.

독자를 누구로 할 것인가를 먼저 정하고 글을 쓰는 게 올바른 방향일 것이다. 그런데도 나는 그러고 싶지 않다. 나의 경험을 들여다보고 싶은 사람은 취업준비생이 될 수도, 인사담당자가 될 수도, 항공업계에 관심 있는 사람이 될 수도 있기 때문이다. 어딘가에는 '대기업 항공사 인사팀장은 무슨 생각을 했을까?' 궁금해하는 이들이 있을 것이다.

글을 쓰기 시작하면서 먼저 떠오른 대상은 승무원 지망생들이다. 너무나 긴장하여 사시나무처럼 떨다가 털썩 주저앉거나 쓰러졌던 지원자들이 아직도 눈앞에 선하다. 3개월에 한 번씩 채용이 시작될 때마다 어김없이 면접장에서 맞닥뜨린 지원자들도 있었다. 그들에게 속 시원하게 털어놓고 싶은 답답함이 항상 내 마음 한 쪽에 남아 있었다.

이 글을 읽다 보면 불편함을 느낄 수도 있다. 본디 책이라는 것이 읽는 이에게 희망의 메시지를 줘야 하는데 그렇지 못하다는 생각이 들 수도 있다. 나는 승무원의 꿈을 이루기 위해 막연히 달려가는 이들에게 묻고 싶은 것이 있다.

"당신은 승무원의 길이 아니라면 어떤 길을 선택할 것인가?" 승무원을 꿈꾸며 준비하는 지원자 중 꿈을 이룬 이는 불과 1, 2%에 불과하다. 나머지 99%는 어떻게 할 것인가? 99%의 승무원 지망생들은 다른 꿈을 갖기를 바라는 것이다.

채용이라는 것은 상대적이다 보니 '이렇게 준비하면 꼭 합격한다'고 장담할 수 없다. '운칠기삼'이라는 말이 딱 맞아떨어진다. 궁합이 맞는 면접관을 만나면 합격할 수도, 반대로 떨어질 수도 있는 것이다. 궁합이 맞는 면접관에게 급한 일이 생겨서 궁합이 전혀 맞지 않는 면접관으로 대체되는 경우도 있다. 그 반대의 경우도 생긴다. 부지기수로 상황이 변한다. 그러나 면접관이 바뀌더라도 반드시 충족시켜야만 하는 '통과의례'와 같은 체크포인트가 있다. 부족하다면 채워야 하고 채울 수 없다면 미련 없이 포기하고 플랜 B(Plan B: 다른 대안)를 선택해야만 한다.

취업 준비생들 또한 마찬가지다. 고지가 눈앞인데 집중력을 잃고 사소한 실수를 하거나 너무 질러서 탈락하는 경우도 생긴다. 그런 실수를 줄이는 방법을 고민해보자는 것이다.

만약 '이 책을 읽으면 합격할 수 있겠지….' 라는 기대감을 가지고 이 책을 읽고자 한다면 그만 포기하는 것이 좋다. 이 책 어디에도 합격을 보장하는 비결은 없기 때문이다.

이번 책을 준비하면서 시중에 나와 있는 어떠한 취업 관련 서적도 참고하지 않았다는 점을 밝힌다. 인사업무를 20여 년간 하면서 얻은 경험만을 순수하게 이 책에 녹여보기 위함이다. 의외로 단순함이 느껴질 수도 있다. 어쩌면 많은 채용담당자, 인사책임자들이 시중에 나와 있는 책 속의 복잡함보다는 나처럼 단순한 생각을 가지고 있을지도 모른다.

어렵게 월급쟁이의 꿈을 이룬 이들에게는 직장인으로서 갖춰야할 기본적인 자질에 대하여 이야기 해주고 싶다. 인사팀장으로서 꼰대들뿐만 아니라 젊은 신입사원들에게서 들었던 애환 서린 고충을 모아 적어보았다. 요즘 신입사원들은 꼰대세대와는 비교도 안 될 정도로 높은 수백 대 일의 경쟁률을 뚫고 입사한다. 그렇다면 꼰대들로부터 인정받으면서 잘살아봐야 하지 않겠는가? 훌륭한 리더십을 체득하여 불량꼰대보다는 멋진 리더가 되어야 하지 않겠는가?

'HR(에이치 알, 휴먼 리소시스(Human Resources): 인적자원 즉, 인사를 통칭) 제도를 어떻게 설계해야만 직원들을 좀 더 만족시키고 동기부여를 시킬 수 있을까?' 오늘도 고민하고 있는 인사담당자들에게 나의 경험과 생각을 들려주고 싶다. 회사마다 규모가 다르고 처한 상황이 다르기 때문에 공감할 수도, 이해하기 어려울 수도 있다. 그러나 오랫동안 인사라는 한 우물을 파면서 격변하는 환경속을 헤쳐나가야만 했던 경험에서 나온 말이니 허황된 이야기는 아니라는 점을 강조하고 싶다. 훌륭한 조직문화가 정착하여 직원들 모두가 즐기면서 기업을 키워나갈 수 있는 인사제도를 만드는 게 인사담당자들의 큰 꿈일 것이다. 동병상련의 마음으로 그 꿈이 이루어지기를 소망하면서 이 글을 쓴 것이다.

다만, 이 책 속에는 'HR 제도를 어떻게?' 라는 관점보다는 'HR 제도를 왜?' 라는 관점에 집중했다. 세부설계 방법은 관련 서적을 참고하면 충분히 좋은 제도를 설계할 수 있다. 그러나 많은 기업이 새로운 HR 제도를 왜 도입해야 하는지 그 이유를 고민하는 경우가 많기 때문이다.

해외 진출을 꿈꾸는 회사들의 글로벌 HR과 관련하여 원초적으로 고려해야 할 사항들을 정리해 보았다. 전 세계에서 벌어진 HR 이슈들을 해결하면서 많은 시행착오를 겪어야만 했고, 그러한 과정 속에서 터득한 진리라 해도 과언이 아니다. 어쩌면 불편한 진실일 수도 있다. 그것도 아주 많이.

이 글을 읽는 이들에게 얼마나 많은 공감을 얻어낼 수 있을지는 모르겠다. 그러나 중요한 사실이 하나 있다. 전 세계 1만여 명의 직원들이 부대끼며 살았던 아시아나항공이라는 작지 않은 세상에서 실제로 일어났던 일들을 바탕으로 정리하였다는 점이다. 사람 사는 세상이라면 지금 이 순간에도 일어나고 있고, 앞으로도 일어날 수 있는 일이기에 좋은 방향으로 읽혔으면 하는 바람이다.

내게는 실패한 경험이지만 여러분들에게는 성공의 밑거름이 되길 바란다.

for 항공사 취준생

1. 승무원 지망생에게

2. 그 외 취업준비생에게

취쁘는
센스가 아니라
진심이다

1. 승무원 지망생들에게

많고 많은 직업 중에 왜 하필 승무원이니?
30년 넘게 비행을 즐길 자신이 있기나 하니?

승무원 지망생들에게 자신을 전문 컨설턴트라 소개하며 과장되고
무책임한 강의로 지원자들을 희망 고문하는 이들을 본 적이 있다.
안타까운 마음에 채용담당자로서, 채용책임자로서의 경험을 토대
로 승무원 지망생들을 보면서 생각했던 것들을 이야기하고자 한다.
서두에서도 말했지만, 그 누구도 합격을 장담할 수 없다. 단지 위
협요인을 하나씩 제거함으로써 합격의 가능성을 아주 조금 높일
수 있을 뿐이다. 지금부터 내가 언급하는 내용은 아시아나항공에
서 근무했던 수많은 인사팀장 중 한 명이었던 나만의 생각이다. 전
임 인사팀장과 후임 인사팀장은 분명 다른 관점에서 지원자들을 바
라볼 것이다.

이 책을 읽고 내 생각대로 따라 하더라도 절대로 합격하거나 하지 않는다는 점에 동의한 후에 읽기를 바란다. 오히려 플랜 B를 준비할까 망설이는 지망생이라면 조금만 시간을 할애해서 꼭 읽어주기를 바란다.

승무원을 꿈꾸는 지원자들에게 냉정하게 묻고 싶다.
"수많은 직업 중에 왜 승무원이라는 직업을 30여 년 동안 즐겁게 할 수 있는 일이라고 생각하는가?"

화려해 보이는 이미지와 달리 승무원들이 기내에서 접하는 세상은 잠시도 긴장의 끈을 놓을 수 없는 살벌한 전쟁터와 같다. 기내에서 호시탐탐 승무원들을 물어뜯을 기회만 노리고 있는 진상손님(블랙 컨슈머)들이 여기저기에 지뢰처럼 숨겨져 있다. 그들을 무한 감동하게 할 수 있는 서비스역량을 가지고 있어야만 무사히 살아 남을 수 있다. 그럴 만한 능력과 용기가 자신에게 있다고 생각하고 있는가?

이런 질문을 던지는 이유는 승무원이라는 직업이 유튜브를 통해서, 언론 매체를 통해서 그려지는 것과는 너무나 다르기 때문이다. 자신의 적성에 맞는 직업인지 한 번 더 고민해보라는 말을 하고 싶은 것이다. 많은 정보가 주변 환경에 의해서 제어되고 자연스럽게 왜곡되어 전달된다. 회사는 끊임없이 SNS를 모니터링 한다. 자칫 자신들의 회사에 관한 부정적인 이미지가 담긴 내용이 유포될까 우려하기 때문이다. 부정적인 내용은 순식간에 작성자들에게 연락이 가고 삭제조치가 이루어진다. 회사의 명예훼손으로 징계처분을 받을 수도 있다. 결국, 아름다운 미담만이 SNS 세상을 떠도는 것이다. 단지 여행을 좋아해서, 여러 사람과 어울리는 것을 좋아해서, 오랜 기간 봉사를 해본 경험이 있어서 승무원 일을 잘할 수 있을 거로 생각한다면 자신의 진로에 대해서 다시 한 번 생각해봐야 한다. 다른 회사에 다니면서도 얼마든지 할 수 있는 일이기 때문이다.

도쿄 긴자에 있는 고급백화점에서 신입사원 연수교육 중 인사예절을 가르치는 장면이 TV에 방영된 적이 있다. 백화점의 인사법에는 15도, 30도, 45도 이렇게 세 가지 각도의 인사법이 있었다. 직원들은 상황에 따라 반드시 이 세 가지 중 하나를 사용해야만 한다. "어서 오십시오." 처럼 가볍게 인사할 때는 15도. "오래 기다리게 해서 죄송합니다." 처럼 양해를 구할 때는 30도. 제품이나 서비스에 문제가 있어서 "불편을 끼쳐드린 점 진심으로 사과 말씀드립니다." 처럼 불만족스러운 내용에 대하여 용서를 구해야 할 때는 45도이다. 시범을 보이는 교관은 한 치의 오차도 없었다. 교육받는 연수생들 모두가 "스고이!(대단해!)"를 연발하며 감탄했다. 조금 후에 교관은 교육생들을 2인 1조로 나누더니 각도기를 나눠줬다. 그리고 세 가지 각도의 인사법이 완성될 때까지 끝없는 연습을 무한 반복시켰다. 혹독한 교육이었다. 활짝 웃던 얼굴에 고통이 밀려오고 웃음 기를 잃어가다가 얼굴이 굳어지며 서서히 일그러졌다. 급기야 교관은 미소를 지을 때 입꼬리를 올리는 높이마저도 지정한 높이까지만 올리라고 주문했다. 웃을 때 입꼬리가 너무 올라가도 안 되고, 너무 낮아도 안 된다는 것이다. 고통을 참고 밝게 웃으라는 것이다. 혹독한 훈련에 교육생들은 울면서 주저앉았다.

예절과 규칙을 중시하는 일본에서도 요즘 세상에는 흔하게 접할수 없는 교육 방법이기에 방송을 탄 것이다. 시청자들은 이런 장면을 보면 어떤 단어를 떠올리게 될까?

이런 장면을 보는 꼰대세대는 '역시…. 멋지다! 일본답다. 원더풀! 저 정도로 빡세게 해야지.' 라는 생각을 할 것이다. 또한, '한때는 우리 회사도 저랬지…. 요즘 젊은 직원들도 저렇게 해야 하는데….' 라며 아쉬워 할 것이다. 승무원을 꿈꾸는 여러분들이라면 얼른 일어나 거울을 보면서 한 번쯤 인사연습을 해볼 것이다. '얼마나 돈을 준다고 저렇게까지.' '저런 美친.' '인권침해.' 'G랄맞다.' 라며 눈살을 찌푸리는 이도 있을 것이다. 만약 지금 부정적인 단어를 떠올리고 있다면 당신은 승무원이라는 직업을 선택해서는 안 된다. 운 좋게 승무원이 되더라도 불행이 시작될 뿐이다. 항공사의 승무원 양성을 위한 서비스교육과 안전훈련은 긴자의 백화점 교육과는 비교도 안 될 정도로 힘들다. '인권침해???' 5스타 항공사를 이용하는 손님들은 이 정도는 기본이고 당연하다고 생각한다.

벌써 20여 년 전 일이다. 중국인 객실승무원을 채용하기 위해 출장을 간 적이 있다. 국내선 항공기를 타게 되었고 말로만 듣던 중국이 넓은 땅덩어리를 가진 나라라는 것을 실감할 수 있었다. 하얼빈에서 상해까지 국내선으로 이동하는데 5시간 정도 걸렸던 것으로 기억한다. 비행시간이 길다 보니 기내식이 제공되었다. 중국인 승무원들을 채용하러 가는 길이었기에 중국인 승무원들이 서비스하는 모습을 유심히 지켜봤는데 서비스하는 모습을 보던 나는 매우 당황했다. 승무원들이 승객들 사이를 지나가면서 귀찮다는 듯, 아무 말도 없이 기내식을 선반 위에 툭툭 던지며 지나갔다. '왜 승객들이 가만히 있지? 항공사에서 어떻게 이런 서비스를 할 수 있을까?' 옆자리에 앉은 김 부장은 회사 내 중국 통이었다.

"김 부장님, 승무원들이 어떻게 저렇게 서비스를 할 수 있어요? 저래도 돼요?"

"하하하. 서비스요? 승무원들은 여기에 탑승한 승객들에게 서비스를 제공해야 한다는 생각 자체를 못 할 걸요. 그럴 생각이 없을 겁니다."

"왜요?"

"중국에서 객실승무원은 자유롭게 해외여행이 가능한 사람들이라는 뜻이에요. 하고 싶다고 해서 아무나 할 수 있는 직업이 아니에요. 보통사람들은 불가능해요. 아마도 여기 있는 승무원들의 공산당 서열이 승객들보다 한참 높을 걸요. 그래서 서비스가 어떻고 아무리 떠들어봐야 소용없어요. 서비스라는 개념 자체가 다를 겁니다."

20여 전의 일이고 지금은 많이 바뀌었을 것이다. 십 년이면 강산도 변한다는 데 벌써 20여 년이 흘렀으니 말이다. 그러나 국내 항공사, 특히 FSC(Full Service Carrier: 메이저 항공사) 항공사는 다르다. 여러분들 자신을 한껏 낮추고 손님에게 감동을 선사하는 게 망설여진다면 승무원이라는 직업은 맞지 않는다. 고객 불만이 쏟아질 때마다 여러분은 계속해서 회사로부터 지적과 함께 재교육을 받게 될 것이다. 그리고 후회하고 방황하다가 결국에는 사직이라는 극단적인 선택을 하게 될 것이다.

여러분들은 기내에서 비상상황 시 승객들의 안전한 탈출을 책임지는 안전요원으로서 탑승하게 된다. 이런 역할은 체계적인 훈련을 통해 일정 수준에 도달할 수 있다. 그러나 안전요원 역할뿐만 아니라 비행 중 탑승객들에게 5스타 항공사에 걸맞은 서비스를 제공해야만 한다. 고급호텔, 고급레스토랑에 가는 이유가 단순히 쾌적하고 요리가 맛있어서가 아니다. 비싼 값에 걸맞게 제대로 된 교육을 받은 매너 있는 직원들로부터 감동의 서비스도 받기 위한 것이다. 아시아나를 이용하는 승객들도 마찬가지이다. 승객들은 5스타 항공사의 서비스를 기대한다. LCC(Low Cost Carrier: 저가항공사) 수준의 서비스를 원했다면 애초에 아시아나를 이용하지도 않는다. 그런데도 객실승무원 중 어떤 이는 LCC와 같은 서비스가 효율적이라고 주장한다. 너무 힘들다며 불만을 토로한다. 5스타 항공사 인증에 필요한 서비스 수준이 너무 과도하다고 주장한다. 심지어는 서비스를 넘어서는 인권침해라고 주장하며 연구하지도, 노력하지도 않으려 한다. 그러면서도 연봉과 복지혜택은 FSC(Full Service Carrier: 메이저 항공사)수준을 받고 싶어 한다. 쌓여가는 불만을 해소하지 못하고 결국에는 회사를 떠난다. 회사도 패자요, 떠나는 승무원 자신도 패자가 되는 것이다. 이렇게 떠나가는 객실승무원들이 1년에 기백 명이다. 상당수의 승무원은 '난들 좋아서 다니겠느냐?' '목구멍이 포도청'이라는 말을 입에 달고 산다.

채용을 진행하면서 지원자들에게 들었던 말을 떠올려보면 이해하기 어려울 때가 있다. '어렸을 적부터 승무원 되는 게 꿈이었고 다른 꿈은 꿔본 적도 없다. 오로지 비행소녀(비행소년)만 될 수 있다면 자신은 월급을 한 푼도 받지 않아도 좋다고 했다. 그런데 왜 이렇게 쉽게 그만두는 걸까? 자신이 평생 꿈꿔왔던 직업이 맞나?'

'웃는 얼굴에 침 못 뱉는다.'는 말이 그냥 생겨난 말이 아니다

승무원으로서 살아남기 위해서는 편안한 미소를 만들어야만 한다.
'웃는 얼굴에 침 못 뱉는다.'는 말이 그냥 생겨난 말이 아니다.

 용돈을 아끼며 아르바이트로 힘겹게 모은 소중한 돈을 들고 채용 컨설턴트를 만나러 가기 전, 반드시 해야 할 일이 있다. 전신 거울 앞에 서서 자신에게 냉정하고 엄격하게 질문을 던져보기 바란다. 자신은 진정으로 타인에게 감동 어린 서비스를 제공하는 천사 같은 승무원이 될 수 있는지 말이다. 찐 갑질을 해대는 손님에게 멘탈이 털리고 영혼이 가출한 상태에서도 미소를 잃지 않고 흔들림 없이 서비스를 제공할 자신이 있는지 말이다.

자신의 감정을 전혀 드러내지 않는 자연스러운 웃음이 있는가 하면, '저 지금 짜증 나거든요!' 하며 상황을 더욱 악화시킬 수 있는 티가 나는 억지웃음이 있다. 이것은 조금 연습한다고 쉽게 고쳐지는 게 아니다. 조금만 연습하면 좋아질 거라 독려하는 이들이 있다. 그들은 불합격한 당신에게 채용은 '운칠기삼'이라며 위로한다. 다음번에는 좋은 결과가 있을 거라며 포기하지 말고 위축되지 말라며 위로하면 그만이다. 또다시 '운칠기삼'을 꺼내면 되는 것이다.

편안한 웃음을 보여주고 싶다면 지금 이 순간부터 웃어야 한다. 평소에 많이 웃어야 한다. 눈가에 주름이 생기든 말든 활짝 웃어야 한다. 부모님의 끝없는 잔소리 앞에서도 예쁜 미소를 보여야 한다. 부모님만큼 훌륭한 컨설턴트도 없다. 끊임없이 잔소리로 속을 긁어주기 때문이다. 여기저기서 자신을 자극하여 분노가 치밀어 오르는 상황에서도 웃으며 대답하는 여유가 몸에 배어야만 한다. 그래야만 살아남을 수 있다. 아름다운 미소만큼 자신을 보호해주는 보호막은 없다.

기내에서 서비스에 불만을 느끼면 클레임을 하게 되어 있다. 그런데 정작 기내에서는 클레임을 하지 않는다. 자신을 위해 한껏 미소를 보이는 승무원에게 대놓고 불평을 늘어놓을 수 없기 때문이다. 그래서 탑승 후에 회사로 불만을 표출한다.

"OOO 승무원의 서비스가 마음에 들지 않았다. 진심을 담아 서비스하는 것 같지 않았다."

"불편을 끼쳐드렸다면 죄송합니다. 그 자리에서 불편사항을 말씀하셨으면 승무원이 좀 더 편안하게 모셨을 텐데요…."

"승무원이 계속 웃고 있는데 어떻게 대놓고 클레임을 합니까?"

"네???"

호감형과 비호감형이라는 단어가 있다.

'외모지상주의'를 말하려는 것이 아니다. 둘 중에 한 명의 지원자를 선택해야 하는 상황이 벌어졌다. 공교롭게도 두 사람의 스펙이 별반 차이 없다. 그렇다면 호감형을 선택할 수밖에 없다. 호감형인 동료와 일하고 싶기 때문이다.

스펙은 노력 여하, 교육 여하에 따라 극복할 수 있기에 한계가 없다고 봐도 과언이 아니다. 열심히 노력해서 부족한 부분은 메울 수 있다. 그러나 비호감형이 호감형으로 바뀌는 데에는 한계가 있다. 안타깝지만 냉정하게 받아들여야 할 부분이다.

호감을 주는 보조개가 있고, 너무 깊게 패이고 흉터처럼 보여서 오히려 부담을 주는 보조개도 있다. 한껏 이미지를 업해 주는 덧니가 있는가 하면, 부담스러운 덧니가 있다. 다 같은 보조개나 덧니가 아니다. 성형이나 치아교정이 능사가 아니라는 말을 하고 싶은 것이다. 가장 중요한 점은 자신이 가진 이미지가 타인에게 호감형으로 비치느냐는 것이다.

평생 여러분의 행복만을 기원하는 부모님이나 절친에게는 물어보지 말자. "엄마! 나 승무원 해볼까?" "친구야, 나 승무원 준비하려는데 괜찮을까?" 오히려 매일같이 싸워대는 동생에게 물어보자. "동생아, 내가 승무원 준비하는 거 어떻게 생각해?" "美친…. 뭐 잘못 먹었나?" 이런 소리가 안 나온다면 한두 번쯤은 도전해 봐도 좋다. 좋은 결과가 나올 수도 있다.

열심히 컨설턴트를 만나고 승무원 양성학원에 다니며 준비하는 절친에게 "친구야, 함께 승무원 돼서 결혼하지 말고 평생 같이 여행다니자."며 조르지 말자. 마지못해 함께 지원서를 제출한 절친만 합격하는 케이스가 부지기수다. 한순간에 '닭 쫓던 개 신세'가 되는 것이다. 안타깝게도 비호감형 지원자가 호감형 친구에게 던질만한 말은 아니라는 것이다.

서비스 이미지는 균형이 중요하다고 생각한다.
순전히 개인적인 생각이다.

이 부분은 매우 민감하게 반응할 수 있는 부분이므로 개인적인 생각이라는 점을 강조하며 이야기를 꺼내고자 한다. 승무원 지망생들이 자신들의 진로를 명확히 하는 데 참고하자는 취지이지, 비난을 하거나 좌절시키고자 꺼내는 말이 아니니 착오가 없기를 바란다. 할 수 있는 것은 해보고, 할 수 없는 것은 고민해보고 대안도 생각해보자는 것이다.

항공사 승무원으로서 적합한 서비스 이미지는 한 마디로 전체적인 균형에서 만들어진다. 꼰대다운 나의 생각이다.

친구들과 셀카를 찍을 때, 한 발짝이라도 더 뒤쪽에 서려고 한다. 양손으로 V자를 그리며 턱선을 가리고 광대뼈를 가린다. 뽀샵 처리를 한다. 심지어는 입사지원서에 들어가는 사진마저 뽀샵 처리를 한다. 본인 스스로가 균형이 깨진 부분이 있다는 것을 알고 있는 것이다. 그런데 승무원은 승객과 1:1로 맞닥뜨려서 서비스를 제공해야만 한다. 뒤로 물러난다거나 손가락으로 얼굴을 가린다고 해결할 수 있는 일이 아니다.

면접복장을 차려입고 전신 거울 앞에 서보자. 그리고 절친이나 가족에게 앞뒤, 좌우 그리고 사선에서 전신사진을 찍어달라고 해보자. 남들에게 감추고 싶은 비밀을 냉정하게 제3자의 시각으로 들여다보자는 것이다.

서비스를 제공하는 회사에서 서비스 평가는 중요한 마케팅 수단이면서도 위협요인이다. 회사의 생존이 달린 문제라는 말이다. 절대로 과장된 말이 아니다. 항공사는 전 세계에서 다양한 인종과 가치관, 신분을 가진 승객들을 대상으로 장사하고 있다. 까다로운 그들로부터 선택을 받아야만 한다.

항공사들은 자신들의 부족한 네트워크를 보완하기 위해 동맹을 맺는다. 스타 얼라이언스, 스카이 팀, 원 월드. 모두 항공사 동맹체 이름이라는 것은 잘 알고 있을 것이다. 항공사가 그냥 가입하고 싶다며 선택하고 연락해서 간단히 가입할 수 있는 동맹체가 아니다. 각 동맹체는 엄격한 심사를 통해서 자신들과 동맹을 맺을만한 회사인지 아닌지를 먼저 결정한다. 그들이 정한 엄격한 심사기준이 있다. 그 심사기준을 통과해야만 동맹체에 가입할 수 있는 것이다. 그리고 각 동맹체 내부 심사기준에 따라 지속적으로 평가하면서 품질관리를 한다. 소위 말하는 수질관리를 하는 것이다. 1등부터 꼴등까지 순위를 매긴다. 회사 대표들이 모인 자리에서 냉혹하게 피드백이라는 명목으로 순위를 공개한다. 하위권 항공사 대표들은 안절부절못한다. 게다가 기준에 미달하면 경고의 메시지까지 보낸다. 최악의 경우에는 동맹체에서 퇴출당하게 된다.

중요한 평가 기준 중 하나가 서비스에 관한 평가다. 라운지, 기내 시설, 기내식 등 하드웨어적인 품질만을 평가하는 것이 아니다. 예약서비스, 공항서비스, 기내 서비스 등 항공사가 제공하는 모든 서비스가 평가의 대상이다. 과거에는 공항 카운터의 대면 서비스가 중요한 평가대상 중의 하나였다. 그러나 시스템의 비약적인 발전으로 비대면 서비스가 확대되면서 서비스평가 비중이 줄어들고 있다. 반면에 기내 대면서비스만큼은 바뀌지 않고 승무원이 과거와 변함없이 직접 서비스를 제공하고 있다. 다시 말해, 승무원에 대한 서비스 평가는 계속해서 이루어지고 있고 중요한 평가척도로 남아 있는 것이다. 승무원의 서비스 품질문제로 고객 클레임이 늘어나면 경고를 받게 된다. 경고조치에도 즉각적인 개선이 안 이루어지면 동맹체에서 퇴출당하게 되는 것이다. 항공사의 생존이 위협받게 되는 것이다.

 여기에서 항공사들이 해결해야 하는 고민거리 중 하나가 기내에서 서비스를 평가하는 승객들이 자국민뿐만이 아니라는 점이다. 그들은 자신들의 가치관에 맞게 서비스를 요구하고 평가한다. 태연하게 인신공격성 발언과 상대방의 자존감에 상처를 줄 수 있는 언행을 하는 이들도 있다. 그러나 그들은 자신의 행동이 부적절할 수도 있다는 생각을 전혀 하지 못한다. 아직도 신분제도가 유지되는 국가의 손님이라면 더더욱 그렇다. 심각한 사안에 대해서는 자국 내 사회적 통념에 맞춰서 소송할 수도 있다. 그러나 모든 국가와 승객들을 상대로 소송하고 문제를 제기할 수는 없다. 그렇다고 글로벌 스탠더드를 항공사 한두 군데가 만들 수 있는 것도 아니다. 따라서 경쟁 중인 항공사를 뛰어넘는 서비스를 위해 최선을 다할 수밖에 없다.

 항공사로서는 다른 항공사들이 멋지고 참신한 서비스를 제공하면 더 좋은 새로운 서비스를 고민할 수밖에 없다.

다른 항공사들이 균형을 중시한다면 더욱더 높은 수준의 균형을 중시할 수밖에 없다. 서로가 눈치 보면서 양보할 수도 없는 치킨게임과도 같은 것이다.

따라서 균형은 항공사들이 나름대로 정한 기준에 부합할 수 있도록 맞춰나갈 수밖에 없다. 균형을 강조하는 항공사들을 너무 원망할 필요가 없다는 것이다.

학창 시절에 공부 욕심으로 무거운 가방을 한쪽으로만 메고 다니다 보니 한쪽 어깨가 처진 불균형이 발생하는 지원자들도 많다. 거울을 들여다보면 알 수가 있다. 만약에 어깨높이가 다르다면 지금부터는 반대쪽으로 가방을 메고 다녀야 한다. 가방이 흘러내리고 불편해도 어쩔 수 없다. 반드시 균형을 맞춰야 하고 그게 싫다면 승무원의 꿈을 포기하고 다른 직업을 찾아서 더 행복해지면 된다.

전후, 좌우, 상하 모든 방향에서 골고루 균형이 이루어져야 한다.

목이 너무 길거나 짧거나, 너무 굵거나 가늘면 불균형을 초래할 수 있다. 팔이 너무 굵거나 가늘거나, 다리가 너무 굵거나 가늘면 불균형을 초래할 수 있다. 상체 비만, 하체 비만, 젓가락처럼 가는 팔, 가는 다리 등등 균형이 깨지는 단어는 승무원의 꿈을 방해할 수 있다. 감성을 긁는 허스키한 목소리, 동굴 저음, 비음 모두가 균형을 깨는 것이다.

서비스에 적합한 이미지는 균형을 이뤄야 한다. 그리고 그 균형은 자연스러워야 한다. 억지로 맞춘 균형은 자연스러움을 해친다. 호감도가 떨어질 수밖에 없다. 남승무원이든 여승무원이든 마찬가지다. 승객들에게 편안하고 좋은 이미지를 전달하는 데에는 균형보다 좋은 것이 없다.

사투리 억양을 고민하는 지원자들도 많다. 쓸데없는 고민이다.

한번 생각해보자. 사투리 억양을 쓴다고 서비스가 나빠질 리는 없다. 그게 사실이라면 사투리 쓰는 사람들은 상대방에게 위화감을 주니 결혼하기도 쉽지 않을 것 같다. 결혼을 잘하려면 열심히 서울말을 배우고 흉내 내야 한다는 말과 같다. 애초에 황당한 괴변이다. 평생을 갈고 닦은 유창한 사투리 억양을 버릴 이유는 없다. 버리고 싶다고 쉽게 버릴 수 있는 것도 아니다.

아시아나 승객들이 서울말만 쓰는 것은 아니다. 기내에는 온갖 지역 출신 손님들로 가득하다. 게다가 외국인들은 서울말과 사투리 억양을 절대 구별할 수 없다. 그들은 오히려 사투리 억양을 더 선호할 수도 있다. 글로벌 항공사에서 서울 말투 역시 표준이 될 수는 없다.

사투리 억양 자체는 절대로 문제가 되지 않는다. 그런데도 사투리 억양을 쓰면 떨어진다며 서울 말투를 체계적으로 배워야 한다고 주장하는 이들이 있다. 면접장에 들어가면 그러잖아도 긴장되어 죽을 맛인데 억지웃음 만들랴, 서울 말투 흉내 내랴 어떻게 면접관 질문에 집중하고 제대로 된 답변을 할 수 있겠는가?

어렸을 때부터 듣기 좋다며 부러움을 한몸에 받았던 동굴 저음이나 비음이 섞인 목소리 톤이 문제일 때도 있다. 감미롭지만 무슨 말을 하는지 알아듣기 힘들어 원활한 커뮤니케이션을 방해하기 때문이다. 상대방을 매혹하는 동굴 저음을 포기해야 한다. 동굴 저음과 승무원의 꿈 중 하나는 포기해야만 한다. 그런데 동굴 저음은 쉽게 고칠 수 없다. 고로 고민할 일이 아니다.

자신감 없이 웅얼거리듯 말하는 버릇이 생겨 상대방으로부터 "뭐라고?" 라는 말을 자주 듣는 말투도 문제이다. 아무리 연습해도 긴장하면 실전에서 다시 쏟아져 나오는 자신감 없는 말투는 한마디로 난치병과 같다. 그렇다고 해서 어떻게 해야 할까 고민할 일은 아니다. 지금부터는 목소리 톤을 한 톤 정도 올려 보자. 상대방이 목소리 좀 낮추라고 할 때까지 목청껏 소리치면서 이야기하는 연습을 해보자. 동굴 저음이나 비음과 달리 반드시 고칠 수 있다. 그러니 고치자. 꿈을 이룰 기회가 생기는 것이니 얼마나 행복한 것인가?

유아틱한 말투 역시 반드시 고쳐야 한다. 최고의 서비스를 제공해야 하는 프로가 어린아이처럼 말하는 것은 프로답지 못하다. 지금부터는 어른스럽게 이야기하는 연습을 시작하자.

여러분이 서비스 책임자라면 승객들로부터 "뭐라고요?" 라는 말을 자주 듣는 직원들을 채용하고 현장에 배치할 용기는 없을 것이다.

승무원은 극한 직업이다. 그래도 좋니?
그까짓 30년쯤이야 거뜬히 버틸 수 있는 체력과 건강이 필요하다

  기내는 습도가 매우 낮아 건조한 편이고 기압 또한 낮다. 무엇보다도 장시간 비행을 하고 목적지에 도착하면 시차, 급변한 기온 차이에서 오는 신체적인 부담을 견뎌내야만 한다.

  승무원이 항공기에 탑승하는 주된 이유는 승객의 안전을 책임지기 위한 것이다. 비상상황이 발생하면 신속하고 안전하게 승객들의 탈출을 도와야 한다. 극도의 혼란 속에서도 침착하게 승객들의 탈출을 도와야 한다. 거동이 불편한 승객을, 부상당한 승객을 탈출시켜야 하는 위기 상황이 닥칠 수도 있다. 승무원으로서 모른 척하고 혼자만 탈출할 수는 없다. 초인적인 괴력을 발휘해서라도 탈출에 어려움을 겪고 있는 승객을 도와야 한다. 업고 뛰어야만 하는 상황이 발생할 수도 있다. 실제로 사고현장에서는 그렇게 해야만 한다. 언론 보도를 통해서 생생하게 보았을 것이다. 승무원이 되기 위해서는 그만큼 튼튼한 체력이 뒷받침되어야만 한다.

승무원이 꿈이라면 지금 이 순간부터는 걸어 다녀보자. 가방 속에는 생수병이라도 몇 개씩 넣고 다니자. 멀리 걸을수록, 생수병을 많이 넣을수록 승무원 합격이라는 문턱에 가까이 다가서는 것이다. 많이 걷다 보면 체형을 바로 잡는 데도 도움이 될 것이다. 체력이 강해지면 에너지가 넘쳐나게 되어 있다. 얼굴도 밝아진다. 거울을 보면서 애써서 웃을 필요도 없어진다. 밝은 얼굴에서 뿜어져 나오는 에너지 자체가 억지로 만든 미소보다 신선한 호감을 상대방에게 주게 된다.

승무원이 되기 위해 체력을 기르고 몸의 균형을 잡아보겠다며 힘들게 아르바이트해서 모은 돈으로 비싼 돈을 들여가며 피트니스 센터에서 맞춤형 PT를 받을 필요 없다. 그 돈은 아껴뒀다가 꼭 해보고 싶었던 곳에 투자하자. 부족한 스펙을 보완하거나 자신을 좀 더 어필할 수 있는 비장의 무기를 연마하는 데 사용해보자.

체력만큼 중요한 것이 건강이다. 이 부분은 상대적이고 민감한 부분이라 개인별로 잘 판단해야 할 부분이다. '괜찮겠지….' 라는 막연한 기대를 하거나 '안 돼. 포기할 수 없어….' 이런 생각으로 접근할 사안이 아니다. 냉정하게 현실을 받아들여야 한다. 자신의 소중한 인생과 행복이 걸려있는 문제이다. 건강을 잃으면 모든 것을 다

잃는 것이다.

앞서 말했듯이 기내 근무환경은 지상에서의 근무환경과 많이 다르다. 신체에 부담을 줄 수 있는 환경이다. 물론 헤파필터를 사용하기에 공기 자체는 지상보다 깨끗할 것이다. 그러나 제아무리 습도조절이 되고, 기압조절이 잘 되는 최신형 항공기라 하더라도 지상에 있는 일반 사무실에서 근무하는 환경보다 좋을 수는 없다. 건조한 기내에서 평생 자신을 괴롭혀 온 아토피성 피부질환을 견뎌낼 자신이 있으면 승무원의 꿈을 포기하지 않아도 된다. 안구 건조증으로 붉게 충혈된 눈과 통증을 참아가면서도 승객들에게 편안한 서비스를 제공할 자신이 있다면 승무원의 꿈을 포기하지 않아도 된다.

남들보다 건강하지 않으면 승무원이 되더라도 병가에 시달릴 가능성이 크다. 어렵게 준비하고 입사했다 하더라도 남들보다 잦은 병가는 회사생활을 재미없게 만들 수 있다. 잦은 병가는 좋은 평가를 받기 어렵게 한다. 인턴승무원이라면 정규직 전환에 큰 장애물이 될 것이다. 중도에 꿈을 포기해야만 하는 것이다. 진급과 각종 포상에서 소외될 수도 있다. 힘들게 이룬 꿈인데 주변 사람들로부터 인정받으면서 비행을 해야 오랫동안 재미있게 할 수 있지 않겠는가?

오랜 기간 책과 씨름하고 스마트 폰과 씨름하면서 원치 않게 얻은 디스크, 척추측만증과 거북목을 고칠 자신이 있다면 도전해 보자. 그리고 가장 민감하고 조심스러운 부분이다. 액취증은 반드시 고쳐야만 한다. 일상생활에는 전혀 문제가 없으나 대면서비스 업무에는 부적합하다.

 지상과 다른 기내환경, 잦은 시차 변화, 신체 리듬을 깨뜨리는 불규칙한 식사시간 등은 정상적인 혈압 범위를 벗어난 사람들에게 위험할 수 있다. 혈압은 지상직 근로자들의 신체검사 기준보다 엄격하게 적용될 수밖에 없다. 혈압이 정상적인 범위를 벗어나 있다면 승무원이라는 직업은 자신에게 위해를 가하는 선택이 될 수 있다. 승무원은 안구 건조증, 항공성 중이염, 비염, 피부질환, 불면증과 식욕부진 등 일반적인 직장인들과는 전혀 다른 문제로 고생한다. 건강상의 이유로 비행이 금지된 승무원이 '정상적으로 일상적인 업무를 수행할 수 있다.'는 의사 소견서를 들고 와서 비행근무에 투입해 달라며 조르는 경우가 있다. 그러나 비행근무 투입에 승인이 나지 않는 경우가 생긴다. 왜 그럴까? 비행근무는 일상적인 업무로 보기 어렵기 때문이다. 그만큼 승무원들의 기내 근무는 힘든 환경 속에서 이루어진다.

 승무원이 되기 위해서 훌륭한 서비스 마인드, 호감형 이미지만큼이나 중요한 것이 건강과 체력인 것이다. 자신이 없다면 승무원이라는 진로는 과감하게 포기하는 것이 좋다. 쾌적한 환경에서 근무할 기회가 생기는 것이다.

 회사는 막대한 시간과 교육비용을 투자해서 승무원을 양성한다. 체력적인 한계에 부딪혀서, 건강문제가 생겨서 잠깐 다니다가 그만

둘 만한 그런 지원자는 애초에 뽑지 않는다. 지원자 수백 명 중에 한 명씩만 뽑아도 회사가 원하는 승무원 숫자는 충분히 채울 수 있다. 굳이 회사가 위험을 떠안을 이유는 없다.

학점관리, 최소한 놀았다는 티가 나지 않도록 하자. 페이스조절도 능력이다

학점관리는 열심히 그리고 잘하도록 하자. 학창 시절에는 공부가 자신에게 부여된 임무다. 자신에게 부여된 임무에 최선을 다해야 한다. 부여된 임무에 최선을 다했다고 입증하는 방법은 학점밖에 없다.

학점은 여러분이 학교생활을 어떻게 했는지 가늠할 수 있는 최소한의 척도가 된다. 학생의 본분은 공부하는 것이다. 아무리 영어공부를 열심히 하고 외국어 공부를 열심히 해서 높은 점수표를 제출하더라도 회사가 임의로 정한 학점 기준에 못 미친다면 절대로 뽑지 않는다. 학생으로서의 본분을 최소한도나마 지켰는지 확인하는 것이다. 학창 시절에 놀았다는 티가 나지 않을 정도의 성적은 받아야 한다. 메이저리그 정상급 투수의 방어율과 견줄만한 학점을 받은 책임감 없어 보이는 학생들도 있다. 특별한 사유 없이 그와 비슷한 학점을 들고 입사지원을 하는 것은 지원회사에 대한 모독행위로 여겨질 수 있다.

한번 받은 성적은 절대로 바꿀 수 없고 평생 가지고 다녀야 하는 지울 수 없는 낙인과도 같다. 남들보다 높은 외국어 점수로 커버할 수 있을 거라는 말을 철석같이 믿고 열심히 학원을 쫓아다니고 있다면 컨설턴트에게 학점을 보여 달라고 해 보자. 절대로 보여주지 못할 것이다. 학점이 좋지 않다면 학원에 기웃거리지 말고 차라리 그 시간에 계절 학기를 듣거나 졸업을 늦추고 학점을 만회해보자. 학점 컷이 얼마냐고 물어보는 지원자들도 있다. 국내 유수 대학의 학점 3점과 지방 국립대의 3점과 지방대의 3점은 차이가 있다. 그리고 경상계열 3점과 어문계열 3점과 예체능계열 3점은 차이가 있다. 그런데도 학점 컷이 몇 점인지 궁금해하고 합격 수기에 올라오는 스펙들을 보면서 자신의 학점을 정당화하느라 바쁘다. 자신이 다니는 학교에서 자신의 전공과목에서 이 정도 점수면 '학창 시절에 놀지는 않았겠네.' 라는 점수는 받아 놓도록 하자.

평생소원이라며 승무원을 꿈꾸는 지망생 100명 중에 한 명 채용될까 말까 하는 비좁은 채용시장이다. 끝내 승무원의 꿈을 이루지 못한 나머지 99명은 어떻게 해야 할까? 평생 승무원만 지원할 수는 없는 일이다. 남들에게 보여줄 만한 학점이라도 받아둬야 다른 회사에 도전해볼 수 있다. 학점도 괜찮고 남들과 차별화할 수 있는 외국어 성적표가 있다면 더 좋은 일이 생길 수도 있다. 더 행복해질 수 있다.

제발 부탁인데 '플랜 B'도 준비하자
기회는 생각보다 많지 않다, 몰빵만큼 위험한 투자는 없다

도전에는 도전할 수 있는 때라는 것이 있다.
도전할 기회는 무한정 오는 것이 아니다.
여러분이 가지고 있는 시간은
소중하게 아껴 써야 하고 행복하게 써야만 한다.

차별금지법이 생겼다. 합리적인 이유가 없는 차별을 금지하는 것이다. 대표적인 것이 성별, 연령 등이다. 따라서 연령 때문에 차별받지 않는 세상이므로 얼마든지 지원할 수 있다고 생각하는 지망생들이 있다.

회사생활은 조직생활, 공동체 생활을 의미한다. 회사에 입사하면

퇴사하는 순간까지 절대로 조직생활에서 벗어나지 못한다. 조직은 화합과 팀워크를 중요시한다. 흘러가는 세월에 연연하지 않고 도전 또 도전하려는 이들에게 묻고 싶다. 여러분이라면 신입사원 나이가 한 살이라도 적은 쪽이 좋을까? 많은 쪽이 좋을까?

여러분이 이미 회사에 입사했다고 가정해 보자. 갓 입사해서부터 지금까지 팀의 막내로서 온갖 허드렛일과 잡무를 도맡아 하면서 이제나저제나 후배가 들어올 날만 학수고대하고 있다. 드디어 꿈에 그리던 후배 사원이 왔다. 반가운 마음에 "우리 후배님, 몇 학번?" 했는데, 당신보다 선배님이 입사하셨네요. 그것도 학번이 한참 빠른 대리급 후배님께서. 자, 이제 어떤 기분이 들지 잘 알 것이다.

'나이가 무슨 상관이야?'라며 썩 내키지는 않지만 변함없는 애정과 세심한 배려로 열심히 지도하는 훌륭한 선배가 되기는 쉽지 않다. 왜냐면 당신은 '2C….'를 연발하며 '내 팔자에 무슨…. 회사 그만 때려치워 버릴까?' 하는 평범한 선배이기 때문이다.

여러분이 병아리 딱지를 떼고 2학년이 되어서 동아리 신입생 환영회에 갔다. 민증을 까보니 삼수, 사수로도 모자라서 30을 넘은 후배님까지 잔뜩 들어오셨네? "신입생이라면 아무나 웰컴~"을 외치고 다니는 동아리 회장님을 보면 어떤 생각이 들까?

한 번 더 오버해서 상상해 보자. 사장님께서 인사팀장을 향해 이런 말을 할 수 있을까? "우리 회사는 말이야. 나이 많고 적은 사람들이 뒤죽박죽으로 섞여서 서로 마구마구 경쟁해야 잘나갈 거야. 그러니 연령 따위는 무시하고 뽑아!"

사설이 길어진 것 같다. 3년, 4년째 도전하는 지망생들이 생각보다 많아서 말을 많이 하게 된 것이다. 포기하고 플랜 B를 준비하기를 바라는 것이다.

도전에는 도전할 수 있는 때라는 게 있다. 그러니 적당한 시기에 아쉽지만 포기할 줄 아는 용기가 필요하다. 특히 서비스업에 종사해 보겠다는 도전자라면 말이다. 애써 차별금지법을 떠올리며 블라인드 채용이 확대되고 있으니 나이는 상관없다고 믿고 싶겠지만, 여러분들이 나이가 얼마나 되는지 확인하는 방법은 다양하다. 소중한 자신의 인생을 위해 승무원이 아닌 플랜 B도 하나쯤은 준비해 보자. '운칠기삼'이라 하지 않았는가? 제아무리 완벽한 지원자도 운이 없어서 꿈을 포기해야만 할 수도 있다. '인생은 새옹지마'라 했다. 억지로 꿈을 포기했지만, 더 좋은 행복을 만날 수도 있다.

왜 하필 99%에 집중하며 '플랜 B'를 꺼내는 건가?

승무원이라는 똑같은 꿈을 가진 지망생 중 99%의 인원이 절대적으로 플랜 B를 준비해야 하기 때문이다. 면접관이 1%를 성공적으로 발굴해내는 것은 매우 어려운 일이다. 그러나 99%를 떨어뜨리는 것은 어려운 일이 아니다. 부담이 없다.

앞서 전체적인 균형이 중요하다고 했다. 눈앞에 있는 여러 사람 중에서 상대적으로 균형감이 떨어지는 지원자를 비교하는 것은 절대로 어려운 일이 아니다. 상대적으로 균형감이 떨어지는 지원자를 하나씩 줄여나가다 보면 결국에는 1%만 남는 것이다. 여러 사람이 앞에 있다. 균형이 잡히면 호감이 가게 되어 있다. 자꾸 눈이 가게 되어 있다. 인지상정이다. 짧은 순간이지만 면접관의 마음은 이미 기울어져 버리는 것이다. 결국, 그들의 답변에만 집중하게 된다. 보이지 않는 균형을 확인하기 시작하는 것이다. 유아틱한 말투인지, 동굴 저음인지, 횡설수설하는지 말이다.

그래서 균형을 강조한 것이다. 냉정하게 확인해 보라고 하는 것이다. 자신이 얼마나 균형감 있는 사고력을 가졌는지. 얼마나 세련되고 서비스에 적합한 말투를 가졌는지 제대로 보여줄 기회를 갖기 위해서 반드시 균형이 필요한 것이다.

99%의 승무원 지망생은 플랜 B를 설계해야만 하는 것이다.

2. 그 외 취업준비생에게

자기소개서는 당신을 떨어뜨리기 위한 도구이다

오랫동안 과도한 취업경쟁에 내몰리다 보니 자존감을 잃고 무의식에 사로잡혀 중요한 순간에 실수하는 취업준비생들을 많이 보았다. 취업을 준비하는 이들을 보면서 이런 생각을 자주 하게 된다. 절박함에 열심히는 하는데 어떻게 해야 하는지는 잘 모르는 건가?

**자소서(자기소개서)는
서류전형 단계에서 떨어뜨리기 위한 평가도구에 가깝다.**

대기업의 인기직종의 경우 지원서가 최소 3, 4만 장 이상이 접수된다. 채용담당자들이 자기소개서를 읽고 평가하는 데는 물리적인 한계가 있다. 오죽하면 AI 자소서 평가 시스템을 도입하는 회사가 생겨나고 있겠는가? 그래도 채용담당자들이 시간에 쫓기더라도 자소서 내용 중에 반드시 확인하는 게 하나 있다.

다름 아닌 다른 회사에 넣었던 자소서의 지원동기를 그대로 갖다 붙였는지 만큼은 반드시 확인한다. '제가 대한항공에 지원한 동기는….' 최종면접에는 사장님이 들어가는 경우가 많다. 면접 질문을 준비하면서 자소서를 읽어보게 된다. 그런데 채용 담당자의 실수로 다른 회사 지원동기를 적은 지원자가 버젓이 올라왔다고 가정해 보자. 사장님께서 어떤 생각을 할까? '요즘은 입사 지원서를 100군데도 넘게 낸다는 데 그럴 수도 있겠지.' 아니면 '자신의 인생이 걸려 있는 중요한 서류도 제대로 꼼꼼하게 체크 못 하는 불량감자'라 생각할까? 지원자도 한심해 보이겠지만, 이런 것도 제대로 확인 못 하는 인사담당자는 더 한심해 보일 것이다. 정신줄을 놓은 지원자로 인해 채용담당자의 직장생활도 꼬이게 된다. 그래서 채용담당자들은 꼬이지 않으려고 정말이지 열심히 체크하게 된다.

'에이, 설마….'라고 생각하는 이들이 많을 것이다. 그러나 의외로 다른 회사 이름이 버젓이 지원동기에 쓰여 있는 경우가 많다. 취준생들이 평균 100장의 입사지원서를 쓰기 위해 복붙하다 보니 지치고 집중력이 떨어지기도 할 것이다. 그래도 이건 아니다. 특히 경쟁 관계인 회사의 이름을 실수로 넣는 것은 절대로 있어서는 안 될 일이다.

자소서는 분량도 매우 중요하다. 기본적으로 지원자의 성의 문제라 생각한다. 마치 억지로 등 떠밀려 지원서를 낸 것처럼 대여섯 줄 써서 내는 지원자들도 많다. 서류전형을 통해 채용담당자들은 넘쳐나는 수많은 지원자 중에서 다음 전형 대상자를 선발한다. 누구를 통과시킬까 보다는 누구를 탈락시킬까에 초점이 맞춰진다. 지원자가 많다고 해서 많이 뽑지는 않는다. 회사에는 채용목표가 있다. 10명의 채용목표가 있다면 1차 전형에서 10배수, 2차 전형에서 5배수, 3차 전형에서 3배수 이런 식으로 단계별 통과 인원을 미리 정해놓고 후보자를 선발한다. 1만 명의 지원자 중 1차 전형 통과자 100명만 골라내야 하는 것이다. 출신학교, 전공과목, 학점, 어학 점수, 제2외국어 등등 채용담당자 자신이 입사할 때와는 비교도 안 될 만큼 높은 기준을 적용해도 더 탈락시켜야 한다. 학점 컷도 올려보고, 어학 점수 컷도 올려보고 하다 보면 동점자들이 나온다. 이때 비로소 자소서를 보는 경우가 많다. 자소서 내용은 모두가 판에 박힌 듯 멋지게 포장되어 있어서 우열을 가리기가 힘들다. 그런데 자소서 란을 반 정도, 2/3 정도 채우다 말아버린 자소서가 보인다. 너무 많은 내용을 채운 자소서도 눈에 띈다. 다른 회사 지원서에 썼던 내용을 그대로 복붙하다보니 공간이 남거나 부족할 것이다. 채용담당자들에게 이보다 더 좋은 탈락시킬 구실은 없다. 자신의 인생이 바뀌는 지원서이다. 주어진 공간은 최대한 활용해야 한다. 과유불급이라는 말도 명심해야 한다. 공간이 넘쳐날 정도로 장황한 내용은 오히려 독이 된다. 주어진 공간에 자신을 최대한 담아내는 것도 대단한 능력이다.

한 마디로 자소서는 합격시키는 데 활용되기보다는 떨어뜨리는 데 훨씬 유용한 평가 툴인 것이다.

자기소개서로 면접관의 예상 질문을 훔쳐보자

자소서는 면접단계에서 합격 여부에 상당한 영향을 미치게 된다.
자소서를 잘 써서가 아니다.
자소서의 내용이 면접관의 질문을 유도하기 때문이다.

면접관들은 자소서를 읽어 보면서 질문하게 된다. 따라서 자소서 내용이 자신에게 던져질 면접 질문이 되는 경우가 많다. 똑똑한 지원자라면 자소서를 통해서 면접관에게 질문받고 싶은 내용을 유도할 수 있는 것이다. 독특한 이력은 반드시 질문을 받게 되어 있다. 답변이 곤란한 이력이라면 **빼내야** 한다. 반대로 어필하고 싶은 이력이 있다면 반드시 포함해야 한다.

다시 말해서 자소서는 면접단계의 예상 질문지가 된다는 뜻이다. 면접장에서 어려운 질문을 받게 되면 어떡할까 걱정하지 말고, 자소서를 쓰면서 어떤 질문을 유도할까 고민해 보기 바란다.

다른 지원자에게 던져졌던 질문을 동일하게 던질 것이라는 생각은 하지 말자. 동일한 질문에는 판에 박힌 듯 유사한 답변들이 나올 것이고 평가할 수 있는 변별력이 떨어진다는 것을 면접관들도 교육을 받아 잘 알고 있다.

그래서 면접관들은 짧은 면접 시간에도 지원자들의 자소서를 열심히 읽어 보면서 질문거리를 생각해 낸다.

취준생 기간이 길어질수록
자소서에 기록하는 경력사항 란은 매우 중요하다.

취준생 기간이 길어지는 경우 졸업 후 이력이 텅 비어 있다면 한 번쯤 고민해 봐야 할 문제이다.

"취업을 준비했던 기간이 길어지다 보니 특별한 경력이 없습니다." 라는 답변은 좋지 않다. 면접관 입장에서 좋은 점수를 주기가 싫어진다. '왜 그럴까?' 왠지 자신들의 회사가 남들이 거들떠보지도 않는 지원자를 뽑게 된다는 그다지 유쾌하지 못한 느낌을 받게 되기 때문이다.

취준생 기간은 자신의 뜻과 달리 예상 밖으로 길어졌고 특별히 넣을 이력이 없다. 면접관은 그동안 뭘 했느냐고 반드시 질문할 것이다. 이미 성인인데 아르바이트라도 했어야 한다는 의도가 깔렸을 수 있다. 부모님께 너무 의존하고 있는 것 아니냐는 질책이 내포되어 있을 수도 있다. 당신에게 부정적인 생각을 가지고 질문을 던지는 경우라고 봐야 한다. 과연 뭐라고 답변해야 할까?

내가 지원자라면 진심을 담아서 아르바이트를 하지 않고 취업준비에 전념해야만 하는 이유를 잘 설명해 볼 것이다. "졸업 후 지금까지 아무 생각 없이 취업준비만 한 것이 아니고, (이러이러한 나름대로 구체적인 계획 때문에) 경력사항이 공란입니다."

생각보다 취준생 기간이 길어진다면 꼭 파트타임 아르바이트라도 하도록 하자. 취업을 준비하면서도 부모님의 부담을 덜어주려는 속 깊은 지원자로 보일 것이다. 게다가 자립심도 있어 보이고, 무엇보다도 아무 생각 없이 세월을 낚고 있다는 부정적인 느낌은 주지 않을 수 있다.

그렇다고 허위로 적지는 말자. 모든 회사는 '입사지원서 상의 내용에 허위사실이 발견되는 경우 입사를 취소할 수 있다.'는 엄격한 사규를 적용하고 있다. 심지어는 지도교수가 회사에서 이런 학생은 합격시키면 안 된다고 하는 웃지 못할 해프닝도 생긴다. 헤어진 여친, 남친으로부터도 연락이 온다.

면접관의 인생관도 훔쳐보자
과연, 그들은 뭘 고민하면서 살았을까?

면접장에서 답변할 때는 질문자의 의도를 파악하는 것이 중요하다.
'왜 이런 질문을 나에게 했을까?'

인사팀장 시절 채용면접에서 자주 물어보는 질문이 있었다.

"인생에 가장 힘든 시기가 언제였는지? 어떻게 극복했는지? 그리고 그러한 과정에서 무엇을 배웠는지?" 요즘은 SNS 세대답게 취준생들끼리도 면접대비용 카페를 만들어 정보를 공유한다는 이야기를 들었다. 아시아나에서는 이런 질문이 자주 나오는 것 같다는 말도 들려왔다.

그런데 상당수의 지원자가 공통으로 가족과의 이별에 대해서 답변을 했다. 자신을 예뻐해 준 할아버지, 할머니, 어려서부터 길러준 외할아버지, 외할머니와의 이별에 관한 이야기가 가장 많았다. 면접대용 카페에서 정보를 공유한 부작용인가?

취준생들끼리 모여서 열심히 모의면접을 하면서도 '면접관이 왜 이런 질문을 했을까?'에 대해서는 의문을 가져보지 않은 것처럼 보였다.

가족과의 이별, 사랑하는 사람과의 이별에 대해서 면접관이 점수를 줄 수는 없다. 그렇잖아도 부족한 평가시간을 허비한 것에 대해 안타까워할 뿐이다. 취준생 입장에서는 자신을 어필해서 점수를 챙겨야 하는 가장 소중한 순간을 무의미하게 허비한 것이다. 사랑하는 사람과의 이별은 자신이 의지를 가지고 뛰어넘거나 할 수 있는 그런 역경의 시기가 아니다. 제아무리 노력한다고 극복할 수 있는 것이 아니다. 시간이 흐르고 기억 속에서 잊혀야만 치유되는 병과 같다. 사랑하는 사람과 이별하고도 가슴 아파하지 않고 힘들어하지 않을 사람이 과연 있을까 싶다.

그런데 질문의 핵심이 되는 두 번째 질문인 '가족과의 이별을 극복하기 위해 지원자가 할 수 있었던 일'이 과연 무엇일까? 하늘에서 지켜보고 있을 그분들을 위해서 미친 듯이 취업준비를 하고 자신이 꿈을 이루는 모습을 보여주기 위해 노력했다?

그리고 가족과의 이별을 통해서 무엇을 배울 수 있었을까? 가족

의 소중함? 가족의 소중함을 모르는 사람은 이 세상에 없다. 아픈
만큼 성숙해졌다?

물론 소중한 가족을 잃었다고 답변하면서 점수를 받을 수 있는 경
우도 있다. 어려서부터 홀어머니, 조부모님 손에서 키워지다가 그
분들이 돌아가신 이후에 경제적 어려움으로 스스로 가계를 책임질
수밖에 없는 상황에 처했다면 꺼내놓아야 한다. 이것은 소중한 가
족을 잃은 슬픔을 극복했던 시기라 하기보다는 경제적 어려움을 극
복해야만 했던 힘든 시기였기 때문이다.
물론 지원자들 연령대가 평균 20대 중반으로 엇비슷하고 각자가
걸어온 길 역시 상당 부분 거기서 거기인 평범한 삶이다. 그러나 그
짧은 삶 속에서 지원자들이 아파했던 시기는 조금씩 다를 수밖에
없다. 면접관들은 그 아픔 속에서 지원자들이 살아온 길과 인생관
을 들여다보고 싶은 것이다.

면접관 세대 같으면 별일도 아닌 것 같은데도 어떤 이유에서 힘들
다고 하는지 세대가 다르므로 들어봐야 하는 것이다. 왕자병, 공주
병에 걸려있는 건 아닌지, 너무 큰 아픔을 겪어서 조직 내에서 융화
가 어려운 건 아닌지, 꽃길만 걸어서 쉽게 무너질 타입은 아닌지, 회
사에 도전하기 위해 입사하는 건지, 남들에게 보여줄 그럴싸한 직
장을 찾고 있는 건지 그런 것들을 확인하고 싶은 것이다.

면접관들로부터 공감대를 이끌어내야만 좋은 점수를 받을 수 있다.
그러려면 면접관이 살았던 세대를 들여다봐야 한다.

지원서에 적힌 이력과 자기소개서를 보면 면접관들은 대충 듣게 될 답변을 예상할 수 있다. 재수, 삼수 경험이 있는 지원자들은 재수하면서 가족들 눈치 보면서 공부하느라, 친구들이 폼 나게 놀 때 꾹 참고 공부하느라, 친구들 만나기 창피해서 이를 악물고 공부하느라 힘들었다고 말한다.

직장생활에 찌든 대다수 샐러리맨이 입버릇처럼 하는 말이 있다. '에구에구 학교 다닐 때 쪼~금만 더 열심히 공부할걸. 그럼, 이 짓거리 안 해도 됐는데. 보기 싫은 저놈의 꼰대도 안보고 말이야. 아~다시 학창 시절로 돌아가고 싶다. 그럼 진~짜 열심히 공부할 텐데….부모님이 재수하라고 할 때 해야 했는데….' 어떤 이들에게는 공부해야만 했던 학창 시절은 힘들었던 게 아니라 후회가 남는 철없던 시절로 인식되는 것이다. 재수가 힘들었다고 떠들어대지만, 이는 그들의 공감을 얻어 낼만한 답변이 되지 못한다.

면접관이 알고 싶어 하는 지원자의 힘들었던 삶에 관한 것은 이런 것이 아니다. 취준생은 더는 어린아이나 학생이 아니다. 면접장에 들어가는 순간 20대 중반을 넘어서고 30대를 바라보는 성인들이다. 그런데도 자신의 인생에서 가장 힘들었던 시기가 공부할 때였다니. 집안 형편이 어려워 알바하면서 재수, 삼수했다면 모를까 공부가 어렵다는 말에 면접관들은 공감하지 않는다. 철없는 아이로 보일 뿐이다. 게다가 요즘은 재수는 필수, 삼수는 선택이라는 말까지 들려온다.

오히려 재수를 반대하는 부모님을 설득하느라 갈등을 빚은 과정, 재수하라는 부모님을 포기시키겠다며 어린 나이에 입대했다가 철들어 늦깎이 N수생이 되기로 결심하게 된 과정이 공부하는 것보다 몇 배 더 힘들었던 시기였을 것이다.

유학생 출신들은 인종차별로 힘들었다고 말하는 경우가 많다. 이방인으로서 무시당하지 않기 위해 악착같이 공부했다거나, 한국인 유학생회에서 열심히 활동해서 한국인 유학생들의 위상을 높이려고 노력했다고 말한다. 과연 이런 답변에 면접관은 얼마나 공감을 할 수 있을까?

분명 인종차별은 이국땅에서 유학하는 유색인종으로서 겪어야 하는 가슴 아프고 안타까운 현실이다. 세월이 흐르고 주변 환경이 바뀌기 전까지는 절대로 변하지 않는 그래서 그냥 받아들이고 견뎌내야만 하는 숙명이다. 심지어는 해외출장 중에도 자주 겪는 일이다. 면접관은 공감하는 척 고개를 끄덕이며 이런 생각을 할 수도 있다. '부모 잘 만나서 조기유학도 가보고 너는 좋겠다. 인종차별? 배부른

소리 말아라. 나도 유학 가서 인종차별 한번 당해봤으면 소원이 없겠다. 내가 너처럼 유학 다녀왔으면 나는 벌써 출세했다. 그놈의 영어가 뭐라고…. 오늘도 온종일 미친 꼰대한테 씹히느라 죽을 뻔했다.' 어눌한 한국말과 이질적인 문화가 뿜뿜거리는 지원자를 보면서 내심 '우리 직원들과 잘 지낼 수 있을지…. 맞춤법에 맞춰서 보고서나 제대로 쓸 수 있을지….' 고심하고 있는 면접관에게 점수를 받을만한 답변은 아니다.

면접관도 자신과 유사한 커리어를 가지고 있을 거로 생각하면 안된다. 면접관들이 살았던 세상과 지원자들이 살아온 세상은 큰 차이가 있고, 가치관도 다를 수밖에 없다. 한 번쯤은 면접관이 세상을 바라보는 눈에 대해서도 생각하고 답변을 준비해보기 바란다. 팀장급 면접관이 살았던 세상과 임원급 면접관이 살았던 세상은 또 다르다. 30대 팀장과 40대 팀장, 50대 팀장이 살아온 세상 역시 다르다. 자신이 입사하려는 회사마다 조직 구성원들이 다르다. IT 기업이라면 30대 팀장이 면접장에 앉아 있겠지만, 대기업에서는 40대 중반을 넘어서야 겨우 팀장이 되는 경우도 많다. 면접관이 했던 질문이 무엇이었는지 보다는 면접관 연령대를 확인하고 그들이 살아온 세상이 어떠했는지를 고민해보기 바란다.

기술적인 지식, 전문지식과 관련한 면접에는 정답이 있다. 평소 자신의 실력만큼 평가점수를 받을 수 있다. 준비하기 나름이다. 평소에 꾸준히 성실하게 준비했다면 좋은 평가를, 게을리 준비했다면 나쁜 평가를 받게 된다. 부족할까 걱정한다고 하루아침에 방대한 양의 전문지식을 채울 수는 없다. 그러니 크게 신경 쓸 것이 없다. 그러나 인성, 가치관을 평가하는 일반면접에서는 질문에 대한 정답이 없다. 그런데도 많은 지원자가 정답이 있을 거라 예단하고 과장된 답변을 하다가 후회를 한다. 질문에 대한 정답이 있는 게 아니고, 면접관이 원하는 방향성이 있을 뿐이다. 그래서 질문의 의도가 무엇인지 정리할 필요가 있는 것이다. 자신에게 주어진 짧은 시간에 면접관의 공감대를 이끌어낼 수 있는 방향을 확인하기 위해서 말이다.

그런데 세간에서 활동하는 면접 코칭 전문가 중에는 마치 정답이 있는 것처럼 말하는 이들이 있다. "이렇게 답하라. 저렇게 답해야 한다." 흡사 모범답안을 보고 말하는 것처럼 유창하게 읊어준다. 대단한 신공이라 할 수 있다. 취준생들은 마치 정답인 양 행여 단어 하나라도 빠뜨릴까 온 신경을 집중해서 열심히 받아 적는다. 참으로 난센스다. 아마도 면접 코칭 전문가가 "사실은 정답은 없어요."라고 말하는 순간 자신의 존재감이 사라진다고 생각하기 때문일 것이다. 물론 채용담당자들은 면접관에 따라 면접 질문의 난이도가 달라지고 그로 인해 평가의 공정성이 훼손되지 않도록 질문지를 만들어서 제공한다. 그러나 평가 기준은 면접관의 머릿속에 있고 절대로 수정이 안 된다. 게다가 면접장의 면접관들은 돌발행동을 하기 마련이다. 특히 임원진들은 통제 불가능한 돌발적인 질문을 던지는 경향이 크다. 그리고 그런 질문들에 의해 지원자들의 합격 여부가 갈려지게 된다. 그러니 어떡하랴? 면접관이 만족할만한 답변을 만들어낼 수밖에 없다. 더군다나 면접관들에 따라 평가 기준이 중구난방이다. 당황할 수밖에 없다. 그래도 최소한의 점수를 받아낼 방법은 있다. 중도를 택하면 된다. 중도에 대해서는 뒤쪽에서 좀 더 이야기하고자 한다.

토론면접은 '나 잘 났소!'를 보여주는 자리가 아니다

집단토론은 상대방을 밟고 올라서는 자리가 아니다.

얼마나 타인을 배려하면서 자신의 주장에 공감하도록 만들 수 있느냐는 것이다. 화합과 융화를 생각하자. 자신과 함께 일하고 싶도록 만들어야 한다.

집단토론 과정을 관찰해보면 한마디로 가관이다. 지원자들은 평가관이 눈살 찌푸리는 줄도 모르고 서로 한마디라도 더하겠다고 아우성이다. 상대방에 대한 배려는 전혀 보이지 않고 마구마구 공격해댄다. 가만히 있으면 떨어지는 줄 알고 말할 기회만 엿본다. 상대방의 말이 끝나지도 않았는데 서로 치고 들어가려고 한다. 상대방이 무슨 말을 하는지 제대로 듣지도 않는다. 연신 평가관을 힐끗 힐끗 쳐다보며 듣는 시늉만 한다. 기회가 될 때마다 그건 아니라면서 빡빡 우기고 치고 나간다. 평가관에게 자신의 존재감을 보여주고 강한 인상을 남겨줘야만 한다는 압박감에 시달리고 있는 모습이 그저 안타깝기만 하다.

상대의견에 반박하더라도 기분 나쁘지 않게 반대하는 지원자가 있다. 반면에 정말 큰 상처를 주는 지원자도 있다. 기회를 엿보다 슬그머니 끼어들어 자신의 의견을 툭 내던지고 빠지는 소심한 지원자도 있다. 차분하게 자신의 의견을 흔들리지 않고 논리정연하게 풀어나가는 지원자도 있다. 동공이 풀린 채로 장황하게 떠들어대는 지원자도 있다. 한 명을 집요하게 공격하고 자신이 멘붕시켜 탈락시켰다며 희열을 느끼는 지원자도 있다. 멘붕시키려다가 자신은 이미 탈락자의 범주에 들어간 사실을 전혀 모르고 말이다.

집단토론에 참가한 지원자들 역시 평가관이 무엇을 보고 무엇을 평가하는지 한 번도 생각을 안 해보는 것 같다. 그저 주어진 주제에 맞게 논리적으로 자신의 주장을 만들어 내뱉는 데 급급하다. 이런 아수라장에서 평가관의 머릿속은 복잡하지만, 평가 기준은 매우 심플하다. 자신이 함께 일해보고 싶은 지원자를 찾는 것이다. 배려라고는 눈곱만큼도 없고 인정사정없이 패대는 직원과 함께 일하고 싶어 하지 않는다. 나 잘났다며 게거품 무는 지원자와 함께 일하고 싶지 않다. 공격적인 말투를 가지고 있는데 비즈니스 대상과 협상을 잘할 수 있을 거라 기대하지 않는다. 무조건 자기주장이 옳다며 고집부리는 부하 직원에게 마음 편하게 업무를 지시할 수 없다. 이런 지원자는 조직 내 갈등을 유발할 뿐이다.

 자신의 논리를 펼칠 때는 제스처도 매우 중요하다. 상대방을 쳐다보는 눈빛도 중요하다. 호감을 이끌어내기 위한 복장만 중요한 것이 아니다. 상대방이 상처받지 않도록 조심스럽게 말을 꺼낼 줄도 알아야 한다. 때로는 강하게, 때로는 부드럽게 대화에 참여할 줄 알아야 한다. 표정만으로도 상대방의 주장을 뒤집을 줄도 알아야 한다. 군이 험한 말을 쓰지 않고도 당신의 말에 내가 신뢰할 수 없다는 표정을 던져 당황하게 만들 줄도 알아야 한다.

 상대방을 설득하여 공감대를 이끌어내는 능력은 꾸준한 연습을 통해서 자연스럽게 만들어지는 것이다.
 경청하고 조심스럽게 자신의 의견을 꺼내보자.

 상대방으로부터 공감대를 이끌어내는 능력은 스타강사의 강의를 듣는다고 하루아침에 만들어지는 것이 아니다. 만약 자신의 인생목표가 오로지 취업해서 샐러리맨이 되는 것이라면 학창 시절부터 꾸준히 연습해야 한다. 이때에도 부모님만큼 좋은 모의 면접관은 없다. 듣기 싫은 부모님 말씀도 경청할 줄 알아야 한다. 부모님 앞에서 또 잔소리라고 생각하며 무심코 찡그렸던 표정은 면접장에서도 꼰대들 눈에 훤히 보인다. 그냥 면접관에게 잘 보이기 위해 부드러운 척, 상대방과 교감하는 척 웃는 모습은 웃고 있는 게 아니라는 것도 잘 알고 있다. 그런 직원에게는 절대로 중요한 비즈니스 협상을 맡길 수 없다.

충분한 시간을 가지고 상대방과 대화하면서 공감하는 능력을 길러야 한다. 오늘부터는 부모님의 듣기 싫은 잔소리도 경청하는 연습을 해보자. 부모님이 모의 면접관이라고 생각하면 될 일이다. 모의 면접관이 들으면 좋아할 만한 얘기만 하는 연습을 하면 된다. 그러면 면접연습도 되고 생각지도 못했던 용돈을 받게 될 수도 있다.

꼰대들에게도 나름의 능력이 있다.
사람 볼 줄도 알고 옥석을 가릴 줄도 안다.

한번은 공채 1차 면접을 준비하는 과정에 초짜 면접관들에게 모의 면접을 진행한 적이 있다. 입사한 지 채 6개월도 되지 않은 신입사원들에게 모의지원자 역할을 부여하고 면접관들이 모의면접을 했다. 모의지원자 1명이 총 12명의 면접관으로부터 만점을 받았고 면접장이 떠들썩해졌다. 면접관 3명 1개 조로 총 4번의 모의면접이 별도의 장소에서 진행되었고, 초짜 면접관들이었는데도 모두가 그에게 만점을 주었던 것이다. 블라인드 면접이었기에 개인정보는 전혀 주지 않았다. 따라서 어떠한 편견도 면접관에게 줄 수 없었다. 면접관들의 평가 기준은 하나같이 동일했다.

"저 친구는 내가 뽑을 수밖에 없게 만들더라. 대답할 때도 다른 지원자의 답변을 경청할 때도 전혀 가식이 느껴지지 않았다. 사람들을 많이 대하다 보면 듣는 척하는 건지 경청하고 있는 건지 대충 알 수 있는데, 행동 하나하나가 평소 생활습관처럼 보였다. 호감이 갔고 신뢰할 수 있는 지원자라는 느낌을 받았다." 그러면서 아직 배치하지 않은 직원이면 서로 자기 팀에 데려다가 쓰고 싶다는 것이다.

'중도(中道)'는 훌륭한 균형감각이다
줄타기 달인이 돼보자!

면접관의 질문의도를 잘 파악한 후에 균형 있게 답을 해야만 한다.
자신에게는 균형 잡힌 시각이 있음을 부각해야 한다.

앞서 면접관에게 답변할 때 중도를 택하라는 말을 하였다. '중도'
즉, 균형을 잡으라는 말이다.

면접관들에게는 일종의 직업병 같은 것이 있다. 자신이 면접장에
면접관으로 앉은 이유를 생각하게 된다. 그런데 옆자리에는 자신
을 항상 평가하는 사장님이 앉아 있다. 대충 아무거나 물어볼 수 없
다. 어설픈 질문으로 사장님께서 속으로 '창피하게⋯. 수준 떨어지
게⋯. 좀 질문다운 질문 좀 하지⋯.'라고 생각할까 고민한다. 면접

관도 면접장에서 평가를 받는 셈이다. 그래서 자신의 전문분야에 관한 질문을 던질 수밖에 없다. 채용담당자가 예상 질문지를 배포하면 그 속에서 자신의 분야와 관련된 질문을 찾아낸다. 없으면 최근에 읽었던 신문기사, 사회적 이슈에서 자신의 업무와 연관된 질문을 만들어낸다. 그래야만 왠지 있어 보이기 때문이다. 사장님이 만족스러워할 거로 생각하기 때문이다.

노무 업무와 관련된 면접관은 반드시 노무와 관련한 질문을 할 수 있다.

"정부의 최저임금 인상정책에 대해서 어떻게 생각하세요? 주 52시간 한도 근무제에 대해서는요? 최근 이슈가 된 S 자동차의 부당해고 청구소송에 대해서는요?"

이런 질문에는 반드시 회사 입장과 직원 입장에서 균형 있게 답해야 한다. 중도를 택해야 한다. 너무 회사에 치우치면 거짓으로 들리고 사탕발림으로 느껴진다. 진정성이 없어 보인다. 반대로 직원 입장에 너무 치우치거나 관심이 많아 보이면 왠지 모르게 부담스러워한다. 이런 질문들은 대충 답하는 것이 오히려 좋다. 지원자가 노무적인 이슈에 너무 많은 관심을 가지면 회사는 부담스러워할 수밖에 없다. 너무 무관심해 보이면 본심을 숨기는 것처럼 보일 수도 있다. 그러나 별로 관심이 없어서 잘 모르는 것 같으면 좋지도 않지만 싫지도 않기 때문이다.

서비스담당(영업담당) 면접관은 이런 질문을 할 수 있다. "아시아나와 대한항공의 서비스(영업방식)에 대해서 한번 말씀해 보세요." 지원자 중에는 지레짐작으로 맹목적으로 아시아나 쪽이 더 좋다고 말하면 좋아할 거라 착각하는 경우가 많다. 그래서 아시아나를 부각시키기 위해 아시아나의 장점과 대한항공의 단점을 말한다. 일정한 근거나 논리도 없이 타 항공사를 비방하는 것이다. 면접관은 서비스(영업)에 관한 한 지원자보다 훨씬 많이 아는 전문가이다. 그들은 아시아나 서비스(영업) 방식이 어떤 면에서 우위에 있는지, 어떤 면에서 열위에 있는지 충분히 인식하고 있다. 평생을 이 일만 해온 면접관이다. 그런데 여기저기서 주워들은 짧은 지식으로 대한항공을 비하하면 지원자가 오만해 보일 수 있다. 좋은 이미지를 줄 수가 없다. 열심히 준비한 것처럼 장황하게 설명하면 할수록 전문가들 눈에는 어설프게 보인다. 그리고 면접점수는 더욱더 낮아진다.

그보다는 지원자가 생각하는 좋은 점만을 한 가지씩 열거하든지 개선해야 할 점만을 한 가지씩을 열거하는 게 더 낫다. 훨씬 균형 있어 보인다.

이럴 때 면접관은 답변하기 쉬운 추가 질문으로 이어질 확률이 높다. "그렇다면 지원자는 어느 쪽이 더 좋아 보이세요?" 이런 질문에는 절대로 망설이지 말아야 한다. "이런저런 이유로 개인적으로 저는 아시아나가 좋습니다! 그래서 지원했습니다!"

선택해보라는 질문에서는 반드시 지원한 회사가 좋다고 간단명료하게, 망설임 없이 답해야 한다. 고민하거나 망설이는 모습은 어쩔 수 없이 지원했다는 인상을 줄 수 있다. 업계 1위인 다른 회사가 더 좋아 보인다고 답하는 게 소신 있어 보여서 면접관이 높게 평가해 줄 것이라 착각하는 경우도 있다. 바보스럽다. "그냥 저 떨어뜨려 주세요."라고 답하는 것과 같다. 면접관은 '엥? 우리 회사가 아니고? 그럼 우리 회사에 뭐하러 지원했나? 이 친구 웃기네….' 라며 집으로 돌려보낼 생각을 할 것이다. 설령 대한항공에도 동시 합격해서 대한항공으로 가게 되더라도 면접장에서만큼은 아시아나항공이라고 답해야만 하는 것이다.

여러 차례 언급하지만, 면접관이 던지는 질문에 딱히 정답은 없다. 면접관의 가치관에 따라 평가가 180도 달라지기 때문이다. 논리적으로 설득해서 자기 생각이 옳음을 입증하고 면접관의 공감대를 이끌어 낼 자신이 있다면 소신껏 말해도 된다. 그러나 절대로 쉽지 않을 것이다. 면접관에게도 산전수전을 다 겪은 경륜과 나름의 개똥 철학이라는 게 있기 때문이다. 그래서 굳이 한쪽으로 치우친 답변으로 위험으로 들어가기보다는 중도를 택하고 자신에게 균형 잡힌 사고력이 있음을 보여주는 것이 좋다.

부모님은 꽁으로 부려 먹을 수 있는 훌륭한 모의면접관이다
영양가 없는 모의면접관들 만나서 면접놀이하고 싶은 거라면 할 말은 없다

모의면접관을 누구로 할 것인가?

아낌없이 자신에게 지적질을 해줄 수 있는 모의 면접관을 구해야 한다.

모의면접을 준비하면서 고심해야 할 점은 모의면접관을 누구로 하냐는 것이다. 그리고 모의면접관으로부터 적절한 피드백을 받을 수 있느냐는 것이다. 앞에서 부모님을 면접관으로 모시고 연습해보라는 말은 농담이 아니다.

모의면접관, 면접을 코칭 해주는 전문가 중에는 과거에 면접관으로 활동한 이들도 있다. 그런데 평가 기준은 면접관마다 다르다. 면접관 각자가 가진 가치관이 반영되기 때문이다. 소위 전문가들인

데도 피드백해 주는 사람마다 다른 이야기를 한다. 너무 오랜 세월이 흘러 촉이 무뎌진 모의 면접관들도 섞여 있다. 도무지 갈피를 잡을 수가 없다.

자신의 문제점이 무엇인지 정확한 피드백이 필요하다. 그런데 열심히 조언을 해주는 코칭 전문가, 교수님, 선배, 동고동락하고 있는 취준생, 절친으로부터 냉정한 피드백을 받는 것은 사실상 불가능하다.

냉정한 피드백은 자칫 지금까지 쌓아온 인간관계를 끊어버릴 수가 있기 때문이다. 좋은 점은 100가지라도 피드백해줄 수 있지만, 단점은 단 한 가지도 꺼내기가 어렵다. 꼰대가 이야기하는 잔소리라며 싫어지고 불쾌감을 느끼고 저항하게 된다. 원초적인 인간의 보호본능이 작동하기 때문이다. 자신을 정당화해야 하므로 타인의 지적, 냉정한 피드백은 정당하지 않은 것으로 치부하게 되는 것이다. 결국, 충돌이 일어날 수밖에 없다.

조언을 해줘야 하는 입장에서도 보호본능이 작동한다. 악역을 도맡아 할 수는 없다. 그러다 보니 열 가지를 지적하려다가도 분위기를 봐가면서 한두 가지 대충 말을 꺼내다가 포기하고 말아버린다. 아끼는 사람의 일그러지는 표정을 보면서도 끝까지 조언해 줄 자신이 없기 때문이다.

"내가 정말로 그렇다는 말이야? 태어나서 이런 소리 처음 들어본다!! 그만하자!!!"

"아무리 그래도 그렇지. 내가 조언(어드바이스)해달라고 했지! 지적질(단점) 찾아달라고 했어?"

코칭 전문가, 교수님은 지원자 눈치를 볼 필요가 없을 테니 냉정하게 피드백을 해주리라 착각할 수도 있다. 그러나 그들 또한 SNS를 통해 피 교육생들에게 까이는 댓글이 달리면 밥줄이 끊길 수 있으니, 그런 위험을 감수할 이유가 없다. 피 교육생 전체를 만족하게 할 수 있는 능력자라면 모를까.

주변에서 자신에게 아낌없이 조언해줄 수 있는 모의면접관을 찾아야만 한다. 부모님일 수도 있다. 삼촌이나 이모가 될 수도 있다. 별로 탐탁지는 않을 것이다. 지금껏 세대 차이로 대화가 불가능한 꽉 막힌 잔소리꾼으로 치부해왔기 때문이다. 그러나 그분들도 살면서 여러 사람을 봐왔다. 호감이 가는 사람, 믿을만한 사람, 거리를 둬야만 하는 사람들을 정확히 구분하면서 살아왔다. 어쩌면 최고의 모의 면접관이 주변에 널려있을 수도 있다. 게다가 그들은 자신 앞에 앉아있는 취준생이 진심으로 합격하기를 바라는 이들이다. 아낌없이 진심으로 조언해줄 것이다. 잔소리한다고, 기분 나쁜 말을 한다고 관계가 끊어질 위험도 절대로 없다. 원하는 만큼 피드백을 해줄 것이다. 취업에 성공하기 위해 비판을 받아야 한다고 말하면 거침없이 문제점을 지적질해줄 것이다. 얼굴이 벌게지고 부끄러워 고개를 들지 못할 정도로 말이다.

자신을 사랑하는 부모님 앞에서 부끄럽겠지만, 용기를 내서 도전해 보자.

"엄마! 아빠! 저한테 이것을 물어보시면 돼요. 그러면 제가 이런 식으로 답변하게 될 거예요. 이게 제가 답변할 내용이에요. 제가 답변할 때 어떤 느낌인지 있는 그대로 말씀해 주시면 돼요. 많이 알려주실수록 저한테 도움이 돼요. 아셨죠?" 절대로 어렵거나 복잡한 것이 아니다. 부모님 앞에서는 아무리 실수하고 못하더라도 부끄러워할 필요가 없다. '고슴도치도 제 새끼는 함함하다.' 라는 말을 명심하자. 그게 싫거나 어렵다면 모의면접관에게 이것만은 꼭 부탁하자.

"굳이 좋은 점을 찾아서 말해 줄 필요 없다. 과도한 칭찬은 오히려 나를 망칠 뿐이다. 좋은 이야기는 이미 주변 사람들에게서 많이 들었다. 부담 갖지 말고 고쳐야 할 점만 들려 달라."

진심으로 당신을 위해 열심히 지적질을 해 줄 것이다. 그렇다고 너무 서운해하거나 속상해하지는 말자. 막상 생생한 피드백을 받다 보면 분하고 속상한 마음에 잠이 안 올 것이다. 그러나 몸에 좋은 약은 쓴 법이다. 보약을 한 사발 쭉 들이켰다고 초 긍정적으로 생각하자. 그러면 좋은 결과가 생길 수도 있다.

스펙은 옷과 같다. 몸에 맞는 옷을 입자

봉사활동은 꾸준히 오랜 기간 진심을 담아서 해야 한다.

봉사활동은 좋은 직장을 구하기 위해서 쌓아야 하는 스펙이 아니다. 비영리 법인단체에 취직을 목표로 한다면 봉사활동이 취업에 필요한 최소한의 스펙이 될 수는 있을 것이다.

취준생들의 봉사활동 이력은 자신을 가볍게 어필하는 하나의 수단이지 봉사활동으로 가점을 받거나 하지는 않는다.

봉사활동은 사명감을 가지고 자신을 희생해서 타인이나 외부기관 등에 헌신한 자신을 보여줌으로써 회사 내에서도 어떠한 힘든 일도 잘해낼 자신이 있다는 것을 증명하기 위함일 뿐이다. 따라서 오랜 기간 꾸준히 봉사활동을 하는 것이 중요하다.

어려운 일, 남들이 기피하는 환경 속으로 자발적으로 뛰어들어가 자신을 희생하는 것은 매우 바람직하다. 많은 기업체가 찾고자 하는 인재라면 반드시 갖춰야 할 자질 중의 하나이다. 봉사단체와 다른 점은 회사는 헌신하는 인재들을 찾아내고 도망가지 못하도록 보상을 한다는 것이다.

얼마 전부터 시작한 봉사활동은 회사에 취업하기 위해 마지못해 시작했고 스펙 쌓기에 급급한 것으로 보일 수 있다. 언젠가 취준생이 될 거라면 지금 당장 봉사활동을 시작하는 것도 나쁘지 않다. 많은 봉사시간보다도 조금씩이라도 좋으니 오랜 기간 꾸준하게 봉사활동을 하는 것이 좋다.

인턴은 잘하는 것이 없어야 인턴이다.
인턴십을 너무 미화시킬 필요는 없다.

인턴십 프로그램에 참여한 경력이 취업을 위해 필요한 스펙은 아니다. 인턴십에 참가한 경력을 강조하는 지원자들이 있다. 심지어는 2, 3개월, 길어야 6개월 정도 인턴십 프로그램에 참가하면서 회사로부터 부여받은 업무를 완벽하게 수행한 것처럼 포장하는 지원자들도 보인다.

이런 이야기를 들을 때마다 당황스럽다. 통상적으로 일반적인 기업체에서 실시하는 인턴십 프로그램은 산학연계 프로그램으로 학생들에게 회사생활을 간접적으로 경험토록 하기 위함이다. 만약에 인턴십에 참여한 학생에게 직원들이 해야 할 업무를 맡겼다면 그것은 오히려 비난받아야 할 일이다.

통상적으로 회사가 수행하는 업무는 엄격하게 내부에서 통제되게 된다. 따라서 인턴이 정상적인 업무활동에 접근하는 것 자체가 불가능하며 모순이다.

그런데도 마치 본인이 회사가 부여한 프로젝트에서 어시스턴트로서 완벽하게 임무를 완수한 것처럼 어필하는 지원자들이 있다. 지원자는 순수해야만 한다.

조카가 OO 재단 인사팀에서 근무하기 시작한 지 6개월 정도 지났을 무렵에 집사람과 나눈 대화 내용이다.

"OOO이는 회사 다닐만하대? 인사업무라는 것이 쉽지 않을 텐데….."

"회사 때려치울까 한다는데?"

"왜?"

"회사에 출근하면 온종일 과장님이 시키는 잔무만 하느라 인사업무는 제대로 배우거나 해보지도 못한대. 아무래도 OOO이 회사를 잘못 들어간 것 같대."

"기껏해야 6개월 정도 인사업무를 해본 것 같은데…. 그렇다면 개가 할 줄 아는 게 하나도 없을 것 같은데. 인사팀 업무를 시작한 지 몇 년 지나도 제대로 된 문서 하나 쓸 수 없는 데, 무슨 소리인지 모르겠네? 통상적으로 회사에 입사해서 1, 2년은 성과를 내는 게 아니고, 단지 배우는 기간이고 그때 잘 배워야 그 이후에 성과를 낼 수 있는 건데. 그 회사는 신입사원에게 곧바로 성과를 내라며 무지 닦달을 하나 보네? 그런 게 아니라면 열심히 주워듣고 잘 배우라고 해."

"기간이 짧아서 많은 것을 배우지는 못했지만, '회사생활이란 이런 것이구나.' 정도만 겨우 맛보았습니다. (이런저런 에피소드를 겪으면서) 직장인이라면 주인 정신을 가지고 솔선수범하는 것이 중요하다는 점을 배웠습니다." 이 정도면 충분히 훌륭한 답변이 될 수 있다.

아르바이트는 다른 사람들의 삶에 들어가 보는 좋은 경험이다.
모든 잡(Job)이 소중한 경험이다. 많이 도전해 보기 바란다.

어떤 지원자들은 스펙 쌓듯이 거창해 보이는 아르바이트만 골라서 하는 경우도 있다. 그렇다고 면접관으로부터 좋은 점수를 받아낼 수 있는 요인이 되지는 않는다.

아르바이트 경력은 그저 공부하고 취업준비만 한 지원자들과 달리 자신은 최소한의 사회생활 특히 조직생활을 경험해보았음을 어 필하기 위한 수단이다. 따라서 자신이 경험했던 아르바이트가 어떻게 회사생활에 도움이 될 수 있을지를 어필해야만 한다.

열심히 해서 고용주로부터 칭찬을 받았다든지, 인정받았다든지, 그런 내용은 자신을 어필하는 것이 아니다. 자화자찬으로는 면접관의 공감을 얻어낼 수 없다. 그저 듣고 있을 뿐이다. 쉴 새 없이 움직이면서 몸으로 때운 택배 상·하차 작업만을 했더라도 면접관을 만족하게 할 수 있다.

"함께 일한 60이 넘은 어르신들이 이런 일자리라도 없다면 얼마나 삶이 고단할지 모른다며 일할 기회 자체에 만족해하는 분들을 보면서 일자리의 소중함을 배웠다."

"비록 힘으로만 하루 종일 버텨야 하는 노동으로 몸이 만신창이가 되었지만, 다음 날 아침에 어김없이 새벽 5시에 일어났다. 출근준비를 하면서 힘들고 짜증이 날 때도 많았다. 그래도 끝까지 포기하지 않고 2개월간 최선을 다했다."

인턴십도 아르바이트도 마찬가지이다. 그런 과정을 통해 자신의 내면이 얼마나 탄탄해졌는지, 그리고 그런 경험들이 회사생활에 어떻게 도움이 될지를 고민해보자.

회사를 때려치울 만했네!
경력직 취준생에게는 누구나 공감할만한 이직사유가 필요하다

경력직의 경우 가장 중요한 것은 전직을 결심하게 된 이유이다.

새롭게 도전하고자 하는 회사에서는 전직자들에 대해 직장을 선택하면서 한번 실패한 패배자로 볼 수 있다. 불량감자라는 색안경을 낀 그들의 관심은 '왜?'에 집중될 수 있다. 지원자로서는 부담스러울 수밖에 없다.

입사한 지 2, 3년 만에 새로운 직장을 구하는 경우에는 크게 문제가 되지 않는다. 구직난으로 어쩔 수 없이 현재의 회사에 몸담았을수도 있기 때문이다. 어떤 조직문화를 가지고 있는 회사인지 잘 몰랐을 수도 있다. 자신에게 맞지 않은 업무가 부여되어 새로운 도전을 결심한 경우도 있을 수 있다. 누구나 한 번쯤 경험할 수 있고 이해할 수 있는 타당한 이유가 된다.

하지만 현재의 회사에서 수년이 흘렀고 진급을 하고, 성과를 내야하는 시기에 전직을 준비하는 경우에는 위와 같은 답변으로는 공감대를 형성할 수 없다.

면접관들은 전직을 결심한 특별한 이유가 있다고 생각할 것이다. 그러니 면접관들이 공감하고 이해해줄 만한 답변을 찾아내야만 한다. 가장 좋은 답변은 새로운 회사에서 앞으로 자신이 하게 될 업무가 무엇이고 회사에 어떻게 기여할 수 있는지를 보여주는 것이다. 그리고 새로운 회사에서 앞으로 자신이 어떤 비전을 갖게 되는지 제시하는 것이다. 확실한 목표를 가지고 있는 자신을 뽑으면 회사에 어떤 도움이 되는지 어필해 보는 것이다. 자신에게도 좋고 회사에도 좋은 선택, 즉 윈 윈(Win-win)하기 위해서 지원했다.

그러나 집요한 면접관은 지원자를 불량감자 취급하면서 의심의 눈길로 쳐다볼 것이다. 업무 부적응, 불통, 대인관계 실패, 매너리즘, 젊은 꼰대, 주식투자 실패로 인한 금전적인 문제, 거짓말 등등 온갖 부정적인 단어를 떠올리며 질문을 던질 것이다.

과중한 업무로 지쳤다고 하면 현실도피자로 보일 수 있다. 꼭 과중한 업무로 지쳤다고 말하고 싶다면 자신이 그동안 어떻게 회사생활을 해왔는지 설명하고 공감대를 끌어내야 한다. 가족 때문에 이직하고자 한다면 가족을 향한 가장의 애틋함이 묻어나는 눈빛이 중요하다.

"누구보다도 일하는 것을 좋아한다. 열정적으로 일했다. 그런데 계속되는 강행군으로 병원에 1주일 입원했다. 병상에 누워서 지난 일 년 동안 받은 잔업수당, 야근수당을 계산해 보니 초과근무시간이 평균 주당 20시간이 넘더라. 공식적으로 확인된 시간만 해도 그렇다. 그렇게 지난 몇 년을 버텼다. 돌이 갓 지난 애와 함께하는 시간이 전혀 없었다. 애가 잠든 사이에 퇴근하고 출근하기를 반복해 왔다. 직장 생활하다 보면 가족과 함께할 시간이 부족할 수밖에 없다는 것을 잘 안다. 열심히 일하는 것이 가장의 역할이라고 생각했다. 그래도 일주일에 한두 번은 가족과 함께 식사할 시간이 필요하다고 생각한다."

몇 년째 진급에 누락하여 전직을 결심한 경우에는 많은 고민을 하고 답변을 해야 한다. 현재 다니는 회사에서 실패한 낙오자가 지원했다고 볼 수 있기 때문이다. 이때는 그동안 억눌러왔던 자신의 억울함을 면접관이 느낄 수 있어야만 한다. 목소리가 가늘게 떨릴 것이다. 그것이 진실이다. 자신의 한이 묻어나오게 되어있다. 미세한 감정변화를 면접관은 놓치지 않는다.

"근무 기간 동안 이런 실적, 저런 실적을 냈는데도 불구하고 회사가 보상을 제대로 해주지 못하더라. 불합리한 면이 보였고 그래도 참고 열심히 일했다. 진급에 누락된 이후에도 포기하지 않고 회사를 위해 이런저런 공헌을 했다. 회사가 결국 지치게 만들더라. 그렇다고 해서 진급에 누락된 이유를 충분히 피드백해주지도 않는다. 내가 상대적으로 못했을 수도 있다. 불량감자일 수도 있다. 하지만 나를 아껴주는 선후배들이 '떨어질 만했다는 말보다 억울해도 참아라.'는 격려가 더 많았고 그만큼 나를 더 힘들 게 만드는 것 같더라. 새로운 도전을 시도해야만 했다."

경력직 채용면접을 하다 보면 소위 말하는 잘나가는 대기업 출신 지원자들이 있다. 이들은 전직사유가 사실상 당락에 영향을 미친다고 봐야 한다. 특히 남들이 부러워하는 회사에서 상대적으로 덜 부러워하는 회사로 전직하는 경우에는 더욱더 그렇다.

아시아나의 면접관들도 아시아나가 워라밸 기업으로 소문이 나 있다는 걸 잘 안다. 그래서 면접할 때 이런 지원자들에게 꼭 던지는 질문이 있다. "홍길동 님은 왜 남들이 부러워하는 회사를 그만두고 아시아나에서 일하고 싶은 건가요?" 돌아오는 대답은 장황하지만, 공통점이 하나 있다. 사람답게 살고 싶다는 거다. 점수주기가 고민스러워진다. 이미 이전 직장에서 '번아웃(Burnout)' 되어 재생불능인 지원자일 가능성이 있기 때문이다. 경쟁을 포기한 것으로 비치기 때문이다. 결국, 여기저기 인맥을 동원해서 레퍼런스 체크를 할 수밖에 없다. 번아웃 돼버려 회생이 가능한지 아닌지를 확인하기 위해서 말이다. 지원자는 넘쳐나는 데 번거로울 뿐이다.

전직하고 싶은 이유에 대해서 진정성 있고 공감대를 형성할 수 있는 답변을 준비해 보도록 하자.

채용담당자는 당신의 꿈에 재를 뿌리는 인간이다
재 뿌릴 능력밖에 없는 그들 눈에 띄어 좋을 일 없다

채용담당자의 역할은
불량감자가 회사에 입사하지 못하도록 하는 것이다.

채용담당자는 자신이 채용을 진행한 신입사원들의 품질을 보증해야 할 책임이 있다. 불량감자가 입사하면 '저 친구는 누가 뽑은 거야?' 라며 곧바로 비난의 화살을 맞게 되기 때문이다. 이중 삼중으로 걸러낸다고 노력했는데도 어김없이 불량감자가 섞여 있는 경우가 생긴다. 인턴으로 입사한 경우에는 정규직 전환심사에서 걸러낼 기회가 있다. 그나마 다행이다. 그러나 인턴이 아닌 정규직으로 곧바로 채용하는 경우에는 난감하다. 물론 정규직도 수습 기간에는 비교적 해고가 자유로운 편이다. 그런데 통상적으로 기업체에서 운영하는 수습 기간은 3개월이다. 불량감자를 색출해 내기에는 물리적으로 짧은 시간이다. 신입사원 연수교육을 하고 부서 배치를 하고 환영회를 하고 "신입사원이 그런 거지 뭐…." 하다 보면 3개월은 훌쩍 지나가 버린다. 게다가 불량감자도 입사 후 3개월간은 각별히 몸을 사리기 때문에 여간해서는 분간해 내기 힘들다.

그러다 보니 채용을 진행하면서 지원자 중에 불량감자처럼 보이는 지원자들은 과감하게 털어낸다. 전형을 진행하는 채용담당자들은 매의 눈으로 지원자들의 행동을 관찰한다. 돌출 행동을 하지는 않는지, 비상식적인 질문을 하지는 않는지, 매너 없는 행동을 하지는 않는지. 전형장소에서 지원자들의 일거수일투족을 모니터링한다.

그리고 조용히 지원자 명부에 기록한다.

집중력 없음: 채용담당자가 조금 전까지 반복적으로 다음 주 금요일 14시에 합격자 발표를 한다고 안내를 했는데도 곧바로 손을 들고 질문을 하는 지원자가 있다. "근데여~ 아저씨~ 합격자 발표는 언제 해여?"

매너 없음: 통로 쪽으로 다리를 쩍 벌리고 앉아서 흥얼거리며 책상이 흔들리도록 다리를 떨어대는 지원자도 있다. 책상 위에 하나 가득 화장품을 펼쳐 놓고 연신 화장을 고치는 지원자도 있다. '저 이 자리에 왔다 갑니다.' 하듯 청심환 병부터 물병, 물티슈, 기름종이

등등 쓰레기를 하나 가득 버리고 가는 지원자도 있다.

배려 없음: 지원자들이 긴장해서 깊은 사색을 하는 와중에 전화벨 소리가 울린다. 망설임이 없다. 거침없이 통화한다. "응~. 자기야~. 왜?" "나 떨려 죽겠어~. 어떡하지?" 휴대전화는 제발 끄거나 진동상태로 해달라고 하는데도 소용이 없다.

여러분들이 명심해야 할 사항이다. 면접장에 들어갈 때부터 나올 때까지 행동에 각별히 유의하자. 튀는 행동은 그동안 준비했던 자신의 모든 노력을 물거품으로 만든다. '이렇게 반듯한 모범생은 본 적이 없다!' 채용담당자에게 이런 이미지를 주지는 못할망정 눈에 띄는 일은 없도록 하자.

채용담당자는 합격시킬 수 있는 권한은 없지만 떨어뜨릴 권한이 있다. 다 된 밥에 재 뿌리는 일은 그들에게 너무 쉬운 일이다. 그리고 재 뿌리는 일이 채용담당자의 업무이다.

for 새내기 직장인

1. 꼰대들이 싫어하는

   불량감자에게 들려주는 약소리

2. 훌륭한 리더십 역량에 관한 약소리

3. 성공적인 인적 네트워크를 만드는 약소리

지금 당신에게
필요한 건

회사생활 만렙을 위한

잔소리 이다

1. 꼰대들이 싫어하는 불량감자에게 들려주는 약소리

'너는 생각한다. 고로 존재한다.' 그런데 너는 왜 생각이 없는 거니?

세대가 바뀌어 꼰대들이 점점 더 설 자리를 잃어가고 있다. SNS의 발달로 꼰대짓하다가는 한방에 훅 가는 세상이 되었다. 꼰대들끼리 '꼰대가 되지 않는 법'을 열심히 공유하며 신조어도 외우고 케이 팝 (K-Pop)을 들으면서 갖은 노력을 하고 있다. 그러나 세대 차이가 나면 꼰대라 여긴다. 여길 수밖에 없다. 그러나 그런 꼰대들도 세대 차이가 나는 젊은 세대를 향해 젊은 꼰대라며 똑같은 생각을 한다. 결국, 조직 내에는 상대적으로 늙은 꼰대와 젊은 꼰대가 공존하고 있는 것이다. 꼰대들의 세상인 것이다. 그렇다면 서로 조금씩 이해 하고 양보하면서 살아가야 하지 않겠는가?

요즘 꼰대 선배들이 젊은 직원들을 보면서 제일 많이 쓰는 말 중 하나가 '너는 왜 생각이 없느냐?'는 표현이다.

제발 시키는 것만 하지는 말아 달라는 표현을 돌려서 하는 것이다. 보고서를 작성할 때 목적과 방향성을 먼저 생각해본 후에 거기에 맞는 각종 자료를 당신이 알아서 넣어달라는 말이다.

선배나 꼰대가 일을 시켰을 때는 '꼰대가 이 일을 왜 시켰을까?' 먼저 생각해보고 실행에 옮겨야 한다. 잘 모르겠으면 얼른 달려가서 물어보면 된다.

이런 것도 모른다며 비아냥거릴까 두려워하면서 주저하는 경우도 있다. 잘못 생각하는 것이다. 바쁜데 이런 것 하나도 제대로 못 하느냐며 투덜댈 수도 있다. 하지만 속으로는 흐뭇해한다. 자신의 존재감을 뽐뽐거릴 수 있기 때문이다.

당신의 질문에 귀찮다거나 실망하기보다는 오히려 좋아할 것이다. 햇병아리 앞에서 자신의 존재감을 보여줄 수 있으니 기분이 좋아질 수밖에 없다. 심지어는 우월감으로 거만하게 허세를 부릴 수도 있다. "OOO 씨라면 이 정도는 알 줄 알았는데 말이야~. 내가 너무 어려운 숙제를 내줬나? 잘 들어봐~."

당신도 경험하지 않는가? 주변의 선배나 후배가 당신만이 알고 있는 사실을 물어보면 자신도 모르게 우쭐해지는 것을 말이다. 조금만 가르쳐달라며 아양 떨며 이것저것 물어보면서 귀찮게 하는 후배가 좋았을 것이다. 제 잘난 맛에 물어보지도 않고 일하다가 매번 사고 치는 후배를 보며 '왕재수, 왕싸가지' 이런 단어를 떠올렸을 것이다.

물어보고 방향성을 바로 잡아야 보고서에 들어갈 내용도 제대로 채울 수 있다. 셀 수도 없이 많은 보고서를 수정하면서 결국 무능한 꼰대를 만나서 개고생한다며 애꿎게 꼰대 탓만 하는 경우도 많다. 정작 본인도 왜? 무엇을 해야 하는지도 잘 모르면서 말이다.

'에휴~ 모르면 물어보기나 할 것이지….' 꼰대는 오히려 당신과 같은 고문관을 만나서 죽을 맛이라고 신세타령할 수도 있다. 무능한 꼰대라고 생각하는 당신과 당신을 고문관이라고 생각하는 꼰대의 콜라보레이션에서 나올 결과물은 '야근'이라는 두 글자뿐이다. 당신은 결코 무능하지 않다. 수백 대 일의 경쟁률을 뚫고 당당히 선배꼰대들 앞에 서 있는 것이다. 그런데 왜 꿀 먹은 벙어리처럼 물어보지도 못하고 일하다가 형편없는 평가를 받아야만 하는가? 인턴이라면 정규직 전환심사에서 탈락의 고배를 마셔야 할 수도 있다. 물론 운 좋게 유능한 꼰대를 만나면 당신이 묻지 않아도 충분하게 배경설명을 해줄 것이다. 그런데 안타깝게도 그렇지 못한 꼰대들이 훨씬 많다. 어쩌면 이 정도는 당신 정도면 어떻게 해야 할지 충분히 알고 있을 거라 믿고 있을 수도 있다.

꼰대 중에는 의외로 당신에게 왜 이 일을 시켰는지도, 어떤 보고서를 만들어야 하는지도 감을 못 잡고 던져주는 경우도 있다. 유능한 당신이라면 충분히 뭔가를 만들어 올 것 같다는 생각에서 말이다. 적어도 반짝이는 아이디어, 그 무언가를 들고 올 수도 있다는 막연한 기대감으로 던져줄 수도 있다. 그렇다고 당신에게 잘 모르겠다고 실토하면서까지 일을 던져주지는 않는다. 후배 앞에서 잘 모르겠다고 말할 정도면 정말로 용기가 있는 선배다. 적어도 불량 꼰대는 아니다.

질문할 때도 요령이 있다. "꼰대님! 어떻게 해야 해요?" 다짜고짜 눈치 없이 곤란한 질문을 던져서 욕만 한 바가지 얻어먹는 경우를 보지 않는가? "꼰대님~, 이 건에 대해서는 이런 내용으로 보고서를 만들어보라는 말씀으로 이해했는데요, 이렇게 진행해도 괜찮을까요?"라며 꼰대가 빠져나갈 수 있는 여지를 두고 질문을 던져야 한다. "음~ 괜찮은 생각인데…. 이런 자료하나만 더 추가해서 일단 네 생각대로 해보고 좀 더 고민해보자." 이런 답변을 받아내면 잘하고 있는 것이다.

인턴과 신입사원 때는 많은 질문을 하고 많이 배워야 하는 시기이다. 너무 완벽하게 잘하려고 하지 말자. 평생 즐기면서 재미있게 해야 할 일이다. 열심히 배우고 천천히 성과를 내기 시작하면 되는 것이다. 배움에는 때가 있다. 실수해도 너그럽게 용서받을 수 있는 때도 있다.

그러다가 어느 순간 홀로서기를 시작해야 하는 때가 오게 된다.

냉정하게 평가받고 치열하게 경쟁을 해야 한다. 이때부터는 정년이 도래하는 그 날까지 죽도록 일을 즐겨야 한다.

열심히 물어보며 좌충우돌하며 꼰대들을 귀찮게 하면 당신은 '인싸'가 되겠지만, 수줍다며 뒤로 빠지면 어느 순간 '아싸'가 되어 있을 것이다.

보고서를 쓸 때는 당신의 생각이 제일 중요하다.
꼰대는 항상 당신의 참신하고 기발한 아이디어를 훔쳐서 성공하고 싶어 한다.

앞서 언급한 "너는 왜 생각이 없냐?"는 것과도 연관되는 내용이다. 힘겹게 보고서를 완성하고 꼰대에게 보고서를 내미는 순간에는 반드시 당신의 입장이 명확하게 정리되어 있어야만 한다.

보고서를 작성하느라 씩씩대면서 각종 자료를 모으고 복잡한 상황을 분석한 사람은 당신이다. 따라서 가장 많은 정보를 접하고 있으므로 당신의 판단이 가장 정확할 수밖에 없다. 그러다 보니 오랜 경험을 가진 선배 꼰대들은 당신의 의견을 묻게 되는 것이다. 비록 인턴이든 신입사원이든 말이다. 적어도 당신이 내뱉은 말을 참고는 할 수 있기 때문이다.

"그래서 네 의견이 뭐냐?" 꼰대의 질문에 당황하면서 어떤 직원들은 이런 말을 툭 내던진다. "네? 그건 생각 안 해봤는데요. 꼰대님이 결정하실 거라…."

　모든 보고서에는 결론이 정해져 있다. 미리 결론을 정하고 승인권자로부터 그러한 결론을 받을 수 있는 보고서를 준비하게 된다. 보고서에 포함된 각종 자료는 결론으로 가는 과정을 보여주기 위한 보충자료일 뿐이다. 정반대로 갈 수 있는 자료가 첨부되면 안 되는 것이다. 그런데 결론을 내리지 않고 보고서를 쓰면 어떻게 될까?

'다양한 자료를 보여주면 윗분들이 알아서 판단하겠지? 열심히 자료를 찾아냈다고 칭찬하겠지?'

　'나는 잘 모르겠고, 이런저런 자료를 첨부해 주니 네가 결정해라.'

꼰대로부터 고문관이라는 소리를 들을 수밖에 없는 결론으로는 일단 잘 몰고 가고 있는 것이다.

실수는 쿨하게 인정하자
사고 좀 쳤다고 할복하거나 짐 쌀 일은 없다

꼰대의 지적질에는 나름의 이유가 있다.
쿨하게 인정하고 똑같은 실수를 반복하지만 않으면 된다.
실수를 너무 두려워하지 말자.

꼰대가 당신의 상사가 된 데에는 그럴만한 이유가 있다. 그냥 세월이 흘러서 진급하고 당신 앞에 서 있는 꼰대가 아니다. 당신이 불량꼰대라며 친구들과 가족들에게 뒷담화를 늘어놓는 꼰대도 그 윗분들이 봤을 때 적어도 밥값은 한다고 느끼기에 선택하고 함께 일하고 있는 것이다. 탁월한 감각과 풍부한 경험을 가지고 젊은 꼰대들을 잘 지도할 것이라 믿기 때문이다.

꼰대들은 나쁜 결과물이 나오면 무엇이 문제였는지 단박에 알아차린다. 이미 그들도 한 번쯤은 실수를 저질러 보았기 때문이다. 젊은 꼰대들 중에는 자신의 잘못을 인정하려 하지 않는 경우가 종종 있다. 잘못하면 벌을 받을 수도 있다는 두려움 때문일 것이다. 그러나 잘못을 인정했다고 해서 꼰대가 칼을 던져주며 "할복하라!"고 하지는 않는다.

과거에는 결재단계가 복잡했다. 막내 위에 대리가 있었다. 대리 위에는 과장이, 과장 위에는 차장이 그리고 마지막 단계에 부장이 있었다. 보고서를 작성하면 단계를 거쳐서 결재가 이루어지다 보니 하위직급일수록 업무에 대한 책임과 부담이 적었다. 물론 잔무가 많으니 항상 몸은 바빴다. 보고서가 자칫 잘못되더라도 부장님이 차장님을 불러서 깼다. '직장 내 괴롭힘?' 그런 단어는 아예 존재하지도 않은 시절이었다. 차장님은 과장님, 과장님은 대리님, 단계적으로 깨다 보니 막내는 마침내 하늘 같은 대리님 앞에 서게 된다. 두려움에 떨지만 들려오는 소리는 한결같다. "막내인 네가 뭘 알겠어? 너를 제대로 교육하지 못한 내가 죽을 놈이지." "앞으로 잘하자." 그게 끝이었다. 두 손을 공손히 모으고 고개를 숙이며 죄송하다고 말하며 각성하면 되었다. 똑같은 실수를 하지 않겠다고 마음속으로 다짐하면 되었다. 다시는 대리님, 과장님, 차장님께 누를 끼치지 않겠다고 말이다.

지금은 인력생산성과 빠른 스피드를 강조하는 시대이다. 결재단계를 축소해서 인원을 줄이고 빠른 의사결정을 할 수 있도록 팀제가 도입되었다. 팀장 밑에 팀원, 기껏해야 중간에 팀장을 보좌하는 파트장 정도 있으면 다행이다. 신입사원도 몇 개월 지나면 담당으로서 책임을 져야 한다. 과거처럼 대리님, 과장님 같은 방어막이 없다 보니 실수해서 꼰대에게 찍히면 곧바로 골로 가는 인생이 되었다. 그러다 보니 실수를 하면 잘못을 인정하기보다는 궁색한 변명거리를 찾게 된다. 실수를 지적하면 사실은 이렇고 저렇고 해서 억울하다는 듯이 표정을 짓는 젊은 꼰대들이 생겨난 것 같다. 그런데 꼰대들 입장에서는 그런 변명들에 공감하기보다는 책임만 회피하려는 비겁한 행동이라고 느끼게 된다.

잘못하면 반성을 해야 하고 잘못하면 책임을 져야 하는 게 회사생활이다. 조직은 그렇게 움직인다. 그렇지만 꼰대라고 무조건 잘못한 당신에게 책임을 지울 생각을 하지는 않는다. 당신이 책임을 져야 할 실수라면 꼰대 자신에게도 책임이 있다고 느끼기 때문이다. 적어도 꼰대들은 선배들로부터 그렇게 배웠다.

미우나 고우나 후배의 잘못은 내 책임이다. 그러나 꼰대는 당신이 잘못을 인정하지 않고 궁색한 변명을 해대면 책임감이 없는 고문관으로 폄하하게 된다. 이것도 선배들로부터 세뇌당한 내용이다. 과거에 실수를 경험하지 않은 꼰대는 없다. 아마 당신이 상상할 수도 없을 만큼 엄청난 실수를 저질렀을 것이다. 그러나 계속해서 실수를 반복하면서도 위로 올라갈 수 있는 꼰대는 없다. 그래서 당신의 실수를 포용할 수 있는 것이다. 그 정도 능력은 되니까 당신 앞에 앉아있는 것이다. 실수를 인정하고 똑같은 실수를 다시 하지 않으려고 노력하는 젊은 꼰대를 보면서 기특하다고 생각한다. 사원 시절 자신의 실수를 떠올리며 속으로는 웃을 것이다. '나도 저 친구만 할 때 실수해서 잘리는 줄 알았었지.' 세대는 다르지만 포용하고 공감할 수 있는 비슷한 경험이 있는 것이다.

그러나 꼰대가 지적을 해도 실수를 인정하지 않고 궁색한 변명거리를 찾는다면 "불량감자요! 고문관이요!" 또다시 실수를 반복할 것이라 예단하고 절대로 신뢰를 보여주지 않을 것이다. 학창 시절의 경험을 생각해 보자. 학교에서 선생님이 지적했는데 잘못했다고 답하지 않고 그냥 넘어간 적은 없었다.

잘못을 시인하지 않는다는 것은 꼰대가 틀렸다고 무언의 항변을 하는 것이다. 꼰대가 화를 내는 것은 나쁜 결과물이 나왔기 때문이다. 나쁜 결과물을 앞에 두고 누군가는 반성해야만 한다. 바쁜 와중에도 중간중간 체크해준 꼰대의 감독책임도 크다. 그러나 당신을 믿고 일을 맡겨줘서 처음부터 끝까지 일을 도맡아 진행한 실행책임이 있는 당신에게 더 큰 책임이 있다. 물론 잘못을 인정하는 데에는 두려움이 앞서기에 커다란 용기가 필요하다. 자신의 명예에 금이 가는 일이고, 자신의 자존감이 땅에 떨어지는 일이다. 그래도 잘못을 인정해야 할 때는 쿨하게 주저 없이 인정해야만 한다. 꼰대들은 그렇게 배웠기 때문에 그렇게 해줄 수밖에 없다. 그게 싫다면? 꼰대를 밟고 올라서면 된다.

당신이 별로 탐탁지 않게 생각하는 불량꼰대들이 출세해야만 당신에게도 기회가 온다.

잘나가는 꼰대에는 두 가지 타입이 있다. 자수성가형과 무임승차형. 전자는 본인의 능력으로 성과를 내고 출세하지만, 후자는 당신과 같은 젊은 피의 능력을 이용해서 성공한다. 그런데 이것도 유능한 리더가 갖춰야 할 역량 중의 하나이다.

아무리 힘들고 어려운 일도 알아서 척척 해결하는 부하 직원을 데리고 있는 무임승차형 꼰대를 상상해보자. 당신이 보기에는 하루 종일 놀고 있는데도, 놀면서도 회사에서 인정을 받는다. 이런 꼰대들에게는 탁월한 능력이 하나 있다. 당신처럼 능력이 있으면 인턴이든 사원이든 가리지 않고 잘 챙길 줄 안다. 자신이 챙기지 않으면 다른 꼰대가 순식간에 가로채 간다는 것을 너무나도 잘 알고 있다. 항상 당신을 띄워주고 보배처럼 아껴준다. 당신 역시 그런 꼰대가 무능해 보이지만 밉지가 않다. 사실은 꼰대가 당신에게 동기부여를 잘하고 있다는 것이다. 리더로서 훌륭한 자질이 있다는 것이다. 결국, 자수성가형 꼰대나 무임승차형 꼰대나 잘나가는 꼰대는 항상 당신을 잘 챙겨줄 것이다. 그러니 두 가지 유형의 꼰대 모두가 당신에게 출세할 기회를 만들어 줄 것이라는 사실을 명심해야만 한다. 높은 자리에 올라간 꼰대는 자기를 보좌할 젊은 꼰대를 찾기 마련이다. 그때가 되면 반드시 함께 일해 본 후배 중에서 찾게 되어 있다. 높은 자리는 그만큼 많은 책임이 따른다. 항상 위태로운 자리다. 자신의 명줄이 달려있는데, 자기 목숨을 잘 모르는 이에게 함부로 맡길 수는 없다.

그러니 무임승차형 꼰대에게도 아낌없이 당신의 멋진 아이디어를 던져줘야 한다. 비록 마음에 들지 않더라도 말이다. 꼰대를 발판삼아 진급하고 남들로부터 인정받는 훌륭한 꼰대가 되면 그만이다. 아시아나는 1년에 한 차례 임원인사가 있다. 매년 1월 1일부 조직개편과 함께 임원인사가 이루어진다. 그리고 임원 산하에 있는 팀장인사도 매년 1월 1일과 7월 1일에 이루어진다. 1월 1일부 임원인사와 팀장인사는 동시에 이루어지다 보니 임원의 의견이 팀장인사에 사실상 반영될 수 없다. 그러나 돌아오는 7월 1일부 팀장인사와 이듬해 1월 1일부 인사에서는 임원의 의견이 반영되어 팀장들이 대거 교체된다. 이때 임원들의 선택은 하나같이 똑같다. 반드시 자신과 함께 일해본 적이 있는 팀장 후보 중에서만 선택한다. 내치고 싶은데 살려달라며 고개를 조아리는 팀장을 보면서 정에 이끌려 이러지도 저러지도 못하고 한숨만 쉬는 임원들도 나온다. 자신의 목숨을 담보로 데리고 가야 하기 때문이다. 정 때문에 어쩔 수 없이 데리고 갔다가 나중에 함께 짐을 싸는 임원들도 여럿 있었으니 말이다.

"그 말 들었어? 이번에 보직 잘리게 된 OOO 부장이 살려달라고 본부장실에서 무릎까지 꿇었대." 실제로 어찌어찌해서 살아남은 OOO 부장은 임원이 되었고 덕분에 그를 택했던 윗분들이 먼저 짐을 싸야만 했다.

2. 훌륭한 리더십 역량에 관한 약소리

'리더십'있는 인재, 인재에 의한 인사가 만사이다

'人事는 萬事다.'라는 말을 많이 한다. 인재를 적재적소에 배치하면 모든 일이 잘 풀린다는 의미다. 여기서 말하는 인재는 어떤 직원일까? 한마디로 훌륭한 리더십을 가진 직원을 의미한다. 회사는 항상 인재를 갈망한다. 즉 훌륭한 리더십을 가진 직원을 찾게 된다. 따라서 취업에 성공하기 위해서, 인재로 인정받기 위해서는 훌륭한 리더십을 열심히 몸에 체득해야만 하는 것이다.

리더십에 관한 표현들을 흔하게 접할 수 있다. 지장, 용장, 덕장, 나를 따르라, 심지어는 내가 부하님들을 상전처럼 잘 모시겠다는 서번트 리더십(Servant leadership)이라는 용어도 탄생했다. 요즘에 사용하는 '인싸' 역시 리더십과 연관된 표현이라 할 수 있다.

나의 경험에 의하면 리더십은 단순히 책을 보면서 체득하거나 배울 수 있는 것이 아니다. 특히 단기간에 속성과정으로 배울 수 있는 것은 더더욱 아니다. 평소에 가급적 빠른 시기부터 배우기 시작하고 습관화해야 한다. 그래서 아직 진로를 결정하지 못하거나 진로를 고민 중인 학생들, 취준생들이 있다면 리더십을 이해하고 미리미리 체득할 기회를 가져보아야 한다.

면접관은 면접할 때 지원자가 어떤 리더십을 가지고 있을까 궁금해한다. 새파란 지원자에게 말이다. 리더십은 앞으로 만들어가는 게 아니고 과거부터 만들어져 왔다는 것을 알고 있기 때문이다. 따라서 면접관 앞에 서 있는 지원자의 리더십은 거의 완성단계에 있는 것이다.

"학창 시절에 주도적으로 ~한 적 있는가요?" '주도적으로' 라는 표현이 '리더로서' 라는 의미이다. 리더로서의 경험을 묻는 것이다. 즉 당신의 리더십을 확인하는 것이다.

과대표를 맡아본 경험이 있다면 잘 알 것이다. 요령 피우려는 학생들을 못마땅해 하며 엄격하게 지도하려는 교수님과 그런 교수님을 향해 꼰대라며 우리의 길을 가자며 자꾸 삐딱선을 타려는 학생들 사이에 끼여 이러지도 못하고 저러지도 못하며 당혹스러워했던 경험 말이다. 그런 와중에도 양쪽을 모두 달래며 만족하게 하려고 고민하고 개고생했던 경험 말이다. 그것이 리더십이다.

리더십은 리더의 자리에서만 경험하고 배울 수 있다. 그렇다고 해서 큰 조직에서만 체득하는 것은 아니다. 선배와 후배의 만남에서도 선배는 리더의 역할을 하게 된다. 조별 과제를 수행하면서 조장을 맡는 것도 리더이다. 봉사활동을 가서 그룹을 나누고 그룹을 이끌기 위해 임시로 뽑은 그룹장도 리더이다. 동아리 전체를 끌고 가는 회장도 리더이다. 다양한 상황 속에서 리더의 경험을 하게 되고 리더십을 기를 수가 있다. 규모의 크고 작음이 있을 뿐, 자신도 모르는 사이에 리더의 역할을 수행하고 있는 것이다.

조직은 리더를 선발할 때 매우 신중을 기한다. 훌륭한 리더는 우수한 인재를 더욱더 우수한 인재로 키워낸다. 조직의 성과를 창출하고 회사발전에 크게 기여한다. 그러나 잘못 선발한 리더는 우수한 인재를 망가뜨린다. 회사의 미래경쟁력을 약화시킨다. 맡겨진 조직뿐만 아니라, 회사 전체를 위험에 빠뜨릴 수 있다.

따라서 회사는 훌륭한 리더십을 가진 직원들을 선발하기 위해 노력한다. 회사 내에서도 훌륭한 리더십을 가진 젊은 인재들을 발굴하려고 노력한다. 리더십은 단기간에 쉽게 기를 수 없다는 것을 잘 알고 있기 때문이다.

주인정신을 가졌다면 리더가 되고자 하는 것이다

주인정신을 가지고 솔선수범하는 리더가 진정한 리더이다.
그리고 결과에 대하여 책임지는 것을 두려워하면 안 된다.

훌륭한 리더십은 어떤 것일까? 훌륭한 리더가 되기 위해서는 적어도 주인정신, 솔선수범 그리고 책임감을 가지고 있어야만 한다. 반대로 불량꼰대들은 복지부동, 보신주의, 내로남불의 대명사로 비하된다.

회사의 모든 일을 함에 있어서 '내가 주인이다.' 이런 생각을 하는 것이다. 그러면 어떠한 일도 어렵거나 힘들지 않다. 바보가 아닌 이상 주인이 자신에게 해가 되는 일을 하지는 않는다. 하기 싫다며 해야 할 일을 회피하지도 않는다. 절대로 그렇게 하지 않는다. 조직에서 일하다 보면 선택의 순간에 갈등을 느끼게 된다. 회사에 분명 이익이 되지만, 자칫 자신에게 손해가 될까 두려워 주저하거나 차선책을 선택하게 된다. 자신의 이익을 우선시하는 행동을 보이게 된다. 이것이 주인정신이 약할 때 나타나는 대표적인 행동이다. 그로인해 회사는 손해를 입게 된다. 이런 일들이 반복되면서 회사가 서서히 망가지는 것이다.

복사지 한 장을 쓰더라도 이면지를 쓸 것인가?
한 면에 2페이지를 인쇄할 것인가?
양면 인쇄를 할 것인가?
컬러 인쇄를 할 것인가? 흑백 인쇄를 할 것인가?

'그깟 복사용지 가지고.'라고 툭 내던지는 이들은 이미 주인정신이 없는 것이다. 그들은 회사의 자산을 절대로 소중하게 다루지 않는다.

그들은 보고서 내용보다는 화려한 디자인에 더 신경을 쓴다. 회사비용이 얼마가 들어가든 관심이 없다. 심지어는 윗분들에게 잘 보이기 위해서 간단한 보고서마저도 디자인전문 업체에 외주를 주기도 한다. 한번 훑고 지나갈 보고서를 말이다. 이런 불량꼰대들이 위로 올라가면 아랫사람들은 똑같이 해야만 한다. "라떼는 말이야! 얼마나 보고서를 멋지게 만들었는지 알아? 기본적인 성의를 보여야 할 것 아냐? 나를 무시하는 건가?" 결국, 회사 내 모든 부서에서 보고서를 꾸미는 데 막대한 시간과 비용을 낭비하게 된다. 아차 싶었을 때는 이미 불량꼰대가 회사를 떠난 지 오래되어서 책임을 물을 수도 없다. 한 마디로 '먹튀'다. 이런 회사가 오랫동안 잘 굴러갈 수 없다. 주인정신이 부족하면 모럴 해저드(Moral hazard: 도덕적 해이)가 발생하고 안타깝게도 비위행위를 저지르게 된다. 내 일이 아니기 때문에 일하기가 싫어진다. 정당한 대가 이상으로 챙기려는 욕심이 생긴다. 내 물건이라면 굳이 욕심을 낼 필요가 없다.

주인정신 부족으로 징계처분을 받게 되고 리더들의 리더십마저 훼손되는 경우도 생긴다.

아시아나항공이 시장에 매물로 나오고 OOO 그룹의 인수가 확정된 시점에 일어난 일이다. OOO 본부 내 직원들의 집단적인 일탈행위가 사내 제보된 적이 있다. 조사결과 상당수 직원의 근무태만 행위가 사실로 드러났다. 근무시간보다 일찍 퇴근하거나 초과근무 수당을 신청하고도 일을 제대로 하지 않은 것이다. 직장 질서를 상당 부분 훼손한 것이 확인되어 해당 본부에 징계처분토록 통보한 적이 있다. 직원들의 주인정신이 희박해졌기에 일어난 일이다. 엄정처분해서 직원들의 경각심을 일깨워야만 하는 사건이었다.

그런데 수개월이 지나도 징계처분이 이루어지지 않았다.

아시아나의 징계처분 절차는 이렇다.

먼저 각각의 본부에서 본부장중심의 인사 소위원회에서 징계처분을 1차로 의결한다. 1차로 의결된 사안에 대하여 인사팀 주관의 인사 본위원회가 열리고 2차로 징계처분을 의결하고 확정한다. 그러다 보니 해당 본부에서 소위원회가 열리지 않으면, 징계처분이 확정될 수 없다.

수차례 해당 본부에 인사 소위원회 개최를 독려했으나 묵묵부답이었다. 본부에서는 실무자들이 꼼짝달싹 못 하도록 손발을 묶어 버렸다. 움직이면 곧바로 보직변경과 인사상 불이익을 받게 되니 실무선에서 움직일 수가 없다. 징계가 지연되는 사유를 확인하는 과정에서 믿기지 않은 이야기가 들려왔다. 징계대상자 1명이 아시아나를 인수하기로 한 OOO 그룹 고위급 임원과 엮여있어서 징계처분할 수 없다는 것이었다. 회사 매각이 완료되면 대규모 인사 조치가 예상되는 상황이다 보니 자칫 그들의 눈 밖에 날까 두려워 징계처분할 수 없다는 의미였다. 한마디로 알아서 기어도 살아남을까 말까 하는 살얼음판인데 감히 인수회사 고위 임원의 심기를 건드릴 수 없다는 것이었다. 지속적인 인사 조치 요청에 해당 본부는 마지못해 경징계 처분을 의결하였다. 이 또한 사실상 OOO 그룹이 인수를 포기하여 매각이 물 건너간 시점에 이루어졌다.

직원들 사이에 크게 공분을 산 비위행위였다. 당연히 신속하게 인사권을 행사하여 직원들의 약해진 주인정신을 바로잡아야만 했다.

그러나 인사 조치가 지연되자 비난의 목소리가 터져 나왔다. 결과적으로 회사의 인사권과 리더십이 훼손되었다.

주인정신을 가지고 솔선수범하는 리더십이 필요하다.

남다른 주인정신을 가진 리더라면 솔선수범하는 모습도 보여줄 수 있어야 한다. 남들이 주저하는 일, 어려운 일에 과감하게 나설 줄 알아야 한다. 당신을 평가해야 하는 꼰대들은 보지 않는척할 뿐 끊임없이 모니터링하고 있다. 과연 당신이 주저 없이 도전할 수 있는 리더십을 가졌는지 말이다.

내가 주인이라면 물어보지도 않고 스스로 판단하고 남들보다 먼저 할 것이다. 주인 정신과 솔선수범의 리더십이 약해질수록 회사 내에 새로운 업무가 생기고 이슈화되면 나서려 하지 않는 경향이 커진다. 관료주의와 매너리즘이 확산된다.

　내가 고객만족팀장을 하던 때에 일어난 일이다. 런던/인천 구간
기내식을 공급하던 런던의 기내식 공급업체에 사고가 발생하였다.
정상적인 기내식 탑재가 며칠 동안은 불가능하게 되었다. 12시간
가량의 장거리 비행에는 기내식이 두 끼 제공된다. 손님들이 두 끼
를 굶을 수는 없는 일이다. 말이 두 끼지 온종일 굶는 것이다. 손님
들이 커다란 불편을 겪게 되는 매우 이례적이고 심각한 위기 상황
이 발생한 것이다. 긴급하게 대책을 마련해야만 했다. 그러나 이 사
실을 인지한 관련 부서 그 어디에서도 액션을 취하지 않고 그저 손
을 놓고 있었다.

　기내식 공급계약을 체결한 부서에서는 기내식을 공급하지 못한
책임을 물어 손해배상을 청구하면 그만이라는 생각이었다. 기내식
을 제공하지 못해서 발생하는 고객불만은 공항, 객실승무원, 고객
만족팀이 감당해야 할 일이라는 것이었다.

　한나절이 지나도 아무런 액션이 없었다.

　명백하게 기내식을 공급하는 영국업체의 책임이었다. 그러나 손
님들은 그런 속사정까지 알 필요도 없는 것이다. 정상적인 서비스
를 받지 못하면 아시아나가 부실한 서비스에 대한 책임을 져야 하
는 것이다.

　그렇다면 손님들에게 최대한 빨리 불편사항을 안내하여 그들이

사전에 대비할 수 있도록 해야만 하는 것이다. 미리 샌드위치를 준비하거나, 대체식을 준비할 시간을 승객들에게 줘야 한다. 컵라면과 같은 간편식이라도 싣고 제공해서 불편을 최소화해야만 하는 것이다. 불편을 초래한 것에 대한 보상 문제는 그다음 문제였다.

그러나 아무도 움직이려 하지 않았고 아무도 움직일 수 없는 이유가 있었다. 공교롭게도 그날은 임원 전체가 워크숍 참석차 회사를 비운 날이었다. 그래서 회사에 남은 팀장들은 자신들의 리더가 돌아오기만을 기다리고 있었다. 자칫 오지랖 넓게 먼저 움직였다가 나중에 자신들의 리더들에게 호된 질책을 받느니 가만히 있는 것이 낫다고 판단한 것이다. 사상 초유의 사태였고 한 번도 경험하지 못한 일이었기 때문에 그들은 오랜 경험을 통해서 본능적으로 알고 있었다. 어느 부서에서 처리해야 할지 아무도 모른다는 것을. 그래서 가만히 있다가 문제가 터져도 책임질 일이 없다는 것을. 그러니 솔선수범하겠다며 굳이 나섰다가 자칫 독박을 쓸 필요가 없다는 판단을 한 것이다.

영업에서는 홈페이지에 영국 런던의 기내식 공급업체 문제로 기내식 서비스에 제한 예상된다는 내용을 공지했다가 섣부른 짓 했다며 질책당할까 두려웠을 것이다. '자칫 언론에서 침소봉대하는 기사를 써서 승객들의 더 큰 불만이 터져 나온다면?' 솔선수범하려다가 오히려 불만이 증가하고 애써 모집한 승객들마저 타 항공사로 이탈할까 두려웠고, 그로 인한 매출 하락 책임이 더 두려웠을 것이다. 어차피 자신들은 영업에만 신경 쓰면 그만일 뿐이었고, 고객불만을 처리하는 부서가 아니었기 때문이다. 승객들의 이탈은 매출 감소로 이어져서 실적압박을 받게 되겠지만, 고객불만 처리비용은 자신들과 무관하기에 수억 원의 추가비용이 낭비되더라도 관심 밖의 일이었다.

가만히 두고 볼 수가 없어 회의를 소집한 나 역시 팀원들로부터 볼멘 우려의 목소리를 들어야만 했다. 회의소집까지는 자신들도 말리지 않겠지만 회의할 때만큼은 절대로 나서지 말라는 신신당부가 있었다.

왜냐고 묻자 한숨 섞인 답변이 돌아왔다. "팀장님, 이 일을 맡으신 지 얼마 안 되어서 잘 모르셔서 그러는데요. 팀장님이 제안하는 순간 모든 업무가 우리 팀으로 오게 될 거예요. 그러니 가만히 계셔야 해요. 나중에 감당하실 수 없게 돼요."

"설마요? 지금 고객불만을 처리하자는 게 아니고 승객들이 불편을 겪지 않도록 대책을 수립하자는 회의잖아요?"
"가 보시면 알게 되실 거예요."

그런데 팀원의 우려는 현실이 되었다. 그날 회의에 참석한 모든 팀장이 나만 쳐다보면서, 자신들이 협조할 사항이 있으면 말해달라는 것이었다. 가만히 있지 말고 승객들이 불편을 겪지 않도록 빨리 대책을 수립하자며 모이자고 했는데 말이다. 게다가 고객불만이 접수된 것도 아닌데 말이다.

그들은 대책을 마련하지 못하면 고객불만이 발생하고, 고객불만이 발생하면 결국에는 고객만족팀이 뒤치다꺼리해야 할 테니. 그게 아쉬워서 자신들을 부른 것 아니냐는 눈빛이었다. 승객들의 불편은 자신들이 고민할 문제가 아니라는 것이다.

기내식을 제공하지 못하면 아우성치는 승객들을 열 시간 넘게 몸빵해야 할 객실승무원 운영팀은 이미 멘붕 상태였다. 그런데 그들마저도 제발 어떻게 좀 해달라는 말뿐 먼저 나서서 이렇게 했으면 좋겠다는 의견을 제시하지 않았다. 이렇게 하자는 순간 "누가 그따위 결정을 했어?" 라는 책임 문제가 뒤따를까 두려웠기 때문이다. 대책을 제시해도 나서서 하겠다는 팀장들이 없으니 회의 시간만 흘러갔다. 결국, 각자 해야 할 일들을 정리한 후에 각자 알아서 하기로 하고 회의를 끝마칠 수밖에 없었다. 그나마 그렇게 해서 수습은 됐지만 씁쓸한 여운은 지울 수가 없었다.

만약 솔선수범하겠다는 생각으로 그 자리에 모였다면, 당시와 같은 긴급한 상황에서 입 다물고 쳐다만 보고 있지는 않았을 것이다. 애초에 모이는 일도 없었을 것이다.

직장생활을 하다 보면 많이 듣게 될 것이다.

"왜 쓸데없이 나서서 일거리를 들고 오느냐? 잘못되면 네가 책임질 거야? 하던 일이나 잘해!" 그래도 해야만 한다. 누군가는 회사를 위해서 반드시 해야만 하는 일이기 때문이다. 그래야만 회사가 변한다. 그것이 회사를 위해서 일하는 리더십을 가진 직원의 의무이다.

주인정신을 가지고 솔선수범하며 결과에 책임질 줄 안다면 비로소 리더십을 완성한 것이다

주인정신을 가지고 솔선수범하는 리더는
결과에 책임지는 것을 두려워하지 않는다.

리더십의 완성은 책임을 질 줄 아느냐 그렇지 못하느냐에 달려있다. 책임을 진다는 것은 두려운 일이다. 여러분들은 회사에 입사하면 과감하게 책임질 줄 아는 리더를 만날 때도 있고, 그렇지 못한 리더를 만날 때도 있을 것이다. 조직보다는 자신의 생존본능에 충실한 불량꼰대들을 보면서 크게 실망할 때도 있을 것이다. 불량꼰대들이 더 잘 먹고 더 잘 사는 것을 보면서 갈등할 것이다. 그러나 절대로 불량꼰대들의 리더십 스타일을 흉내 내려고 하면 안 된다.

결국, 조직뿐만 아니라 주변 동료와 후배들로부터 버림받게 된다. 아시아나 기내식 사태가 터졌을 때 당시 OOO 대표가 보여준 리더십이다.

OOO 대표는 주인의식과 솔선수범을 몸소 실천한 임원이었고 직원들은 그를 훌륭한 리더로 평가했었다. 그의 퇴임소식을 듣고 많은 직원이 가슴 아파했고 사내게시판에는 그에게 감사의 작별 인사를 고하는 글들이 쇄도했었다. 그는 퇴임 후에도 항상 아시아나를 응원했고 OB였지만 리더로서 해야 할 역할에 충실했다. 아시아나가 비상경영 체제에 돌입하고 직원들이 강도 높은 고통분담을 시작했다는 소식을 접하자마자 그는 자신의 자문료를 반납하였다. 회사에 전화해서 다짜고짜 "퇴임한 임원들을 푸대접한다. 이것도 지원해 달라. 저것도 지원해 달라." 연신 불만을 토로하는 보통의 퇴임 임원들과는 클라스가 남달랐다. 내가 지난 20여 년간 인사업무를 하였지만, 스스로 자신의 보상을 줄여달라고 말을 꺼낸 유일한 리더였다.

여러분도 한번 생각해 보라. 가만히 있으면 통장에 따박따박 연금처럼 입금되는 돈이 있다. 그런데 자신이 손을 드는 순간 사라지는 것이다. 자신의 기득권을 포기하겠다며 누구나 쉽게 손들 수 있는 일이 아니다. 주인정신이 있기에 내릴 수 있는 결정이다. 등 떠밀려서 마지못해서 해도 될 일, 모른 척 눈감아버려도 될 일인데 먼저 손을 들었으니 솔선수범이다. 그리고 자신의 기득권을 포기했으니 책임을 진 것이다. 이런 리더십은 흔하지 않은 것이다.

OOO 대표는 기내식 사태가 터지자 모든 것을 자신이 책임지고 깨끗하게 자리에서 물러난 진정한 리더였다.

신설 중이던 기내식 공장에 불이 나서 기내식 공급에 차질이 뻔히 예상되는 상황에서도 적절한 대책을 세우지 못한 책임이 있다고 주장하는 이도 있었다. 그것은 OOO 대표의 리더십을 모르고 하는 잘못된 평가였다. 그리고 OOO 대표에게 책임을 전가하고자 하는 이들의 구차한 변명이었다.

OOO 대표는 절대로 위험을 회피하거나 외면하거나 은폐하려는 리더가 아니었다. 자신의 권한 중 일부를 아랫사람들에게 과감하게 위임할 줄 아는 리더였다. 그로 인해 발생하는 문제는 자신이 온몸으로 떠안을 줄 아는 리더였다.

"진정한 리더는 주인정신을 가지고 솔선수범해야 한다. 권한을 위임할 줄 알아야 한다. 실패를 두려워해 권한위임을 하지 않는 것은 책임을 회피하기 위함이다."

평소에도 임원과 팀장급 리더들을 만날 때마다 지속해서 강조했던 말이다. "임원의 권한을 과감하게 팀장에게 이양하라. 그렇지 않으면 팀장들도 성장하지 못한다. 임원씩이나 돼서 그런 것까지 챙기려 하느냐?"

OOO 대표는 기내식 공급업체가 바뀌고 기내식 공장의 화재로 인해 기내식 공급에 차질을 빚을까 누구보다도 노심초사했었다. 반복적으로 확인지시를 내렸고, 그때마다 기내식 공급 책임자들로부터 아무런 문제가 없을 것이라는 보고를 받았던 것이다.

기내식 사태가 벌어지기 직전에 '미투 사건'에 엮여 회사는 홍역을 치러야만 했다. 게다가 기내식 공장에 화재가 발생하기도 했다. 회사의 경영자라면 위기감에 사로잡혀 그 어느 때보다도 살얼음판 위를 걷고 있다는 사실을 모를 리 없었다.

OOO 대표의 권한위임은 보고내용을 믿고 맡긴다는 뜻이지 방치나 방관을 의미하는 것이 아니었다. 기내식 공급에 차질이 발생하지 않도록 만전을 기하겠다는 책임자들의 말을 철석같이 믿었던 것이다. 보챈다고 될 일이 아니라는 것을 누구보다도 잘 알고 있었다. 안달이나 재촉해봤자 일만 더뎌질 뿐이라고 판단했던 것이다. 그러나 유감스럽게도 기내식 사태가 터졌다. OOO 대표가 결과에 대하여 모든 책임을 지겠다며 회사를 떠났다. 진정한 리더의 모습을 보여주었다. 보통의 리더였다면 아랫사람들에게 책임을 전가하고 어떻게든 버텨보려고 하였을 것이다.

3. 성공적인 인적 네트워크를 만드는 약소리

갑인가? 을인가? 네 자신을 알라
빠른 주제 파악은 비즈니스 파트너와 당신 사이의 간극을 확 줄여준다

　직원들이 대외업무, 비즈니스 거래처와 관계를 구축할 때 어떻게 처신해야 할지 잘 몰라서 실수하거나 일을 꼬이게 하는 경우를 많이 보았다. 젊은 직원일수록 비즈니스에 필요한 대인관계를 구축하는 데에 애를 먹는다. 세대가 다른 상대방을 마주 대하고 신뢰를 구축해야 하기 때문일 것이다.

　비즈니스상 대인관계를 구축해야 할 때는 나와 상대방 간의 갑을 관계, 즉 힘의 균형이 어디에 있는지를 따져보고 그에 걸맞게 행동을 하면 매우 원만하게 그리고 수월하게 일 처리가 이루어진다. 모두가 한 번쯤은 읽어보았을 것이다. 처세술, 협상기술 등등 이런저런 책들을 보면서 대인관계 능력과 협상력을 키워보려고 노

력한다.

나 역시 MBA 시절에 협상 기술(Negotiation skill)에 관한 공부를 한 적이 있다. 당시 담당 교수는 이런 말을 했다.

"상대방이 원하는 것이 무엇인지를 최대한 빨리 파악해 내는 것이 중요하다. 그래야만 협상에서 우위를 점할 수 있다. 그러려면 SWOT 분석(스와트 분석, Strength: 내부의 강점, Weakness: 내부의 약점, Opportunity: 외부의 기회 요인, Threat: 외부의 위협요인)을 통해 나의 강점과 약점을 분석하고 내가 줄 수 있는 것과 내가 절대로 줄 수 없는 것을 파악해야 한다. 그리고 상대방으로부터 받아낼 수 있는 것과 절대로 받아낼 수 없는 것을 알아내야 한다. 경쟁자가 제공할 수 있는 것과 그렇지 못한 것도 파악해야만 한다. 그렇지 않으면 협상에 실패하고 합의에 도달할 수 없다."

누구나 동감하는 말이지만, 그러한 실행과정이 너무 복잡하고 난해하다. 뜬구름을 잡는 것만 같다. 그래서 협상에서 성공하는 것이 어렵다고 하는 것이다. 이럴 때 유용한 방법이 있다. 갑을관계를 따져보는 것이다. 나는 갑인가? 을인가?

상대방이 A를 원하는데 내게 A가 없다 보니 B를 주겠다며 계약하자고 조를 수는 없다. 그런데 상대방이 A를 원하는지 B를 원하는지조차도 알 수가 없다. 상대방이 원하는 걸 알아내기 위해서는 상대방의 본심을 들여다봐야만 한다. 경계심을 허물어뜨리고 가까이 다가가야 한다. 이때 필요한 것이 내가 상대방과의 관계에서 갑인지 을인지를 빨리 파악하는 것이다.

내가 갑이면 주도권을 잡고 흔들면서 상대방이 서운하지 않도록 적당히 구슬려가면서 원하는 것을 알아내면 된다. 그렇다고 갑이라고 해서 모든 걸 쉽게 얻어낼 수는 없다. 합의에 도달하는 순간만큼은 서로가 손해를 보지 않았다고 느낄 수 있는 균형점에서 만나야 하기 때문이다.

가격협상 같은 경우에는 자신의 행동에 각별히 신경을 써야 한다. 당신이 수요자이고 공급자가 많아서 당신이 가격을 정할 수 있을 때는 우위의 위치, 즉 갑의 위치에 있는 것이다. 그러나 오랜 협상과 당신의 갑질 끝에 가격이 너무 내려가 공급자들이 사라지는 순간에 당신의 위치는 을로 바뀌는 것이다. 언제까지나 갑의 위치에 있을 수는 없다. 가장 좋은 것은 갑의 위치에 있을 때 살짝 양보해서 당신의 갑의 위치가 흔들리지 않는 선에서 움직이는 것이다.

반대로 내가 '을'의 위치라면 철저히 상대방의 비위를 맞춰가면서 우호적인 관계를 쌓은 후에 마음을 열게 하여야 한다. 한마디로 상대방이 OK 할 때까지 당신은 알아서 기어주면 된다. 언젠가 당신이 갑의 위치를 점할 수 있을 때까지 말이다.

실제로 임금협상과 단체협상을 할 때도 마찬가지이다. 상대방이 원하는 것을 다 준다고 해서 합의에 쉽게 도달하지는 못한다. 노동조합에서 10을 요구했는데 불필요한 소모전이 싫다며 단숨에 10을 주겠다고 해도 노동조합은 합의하지 않는다. 그들도 소위 말하는 밀당을 하면서 회사를 상대로 때로는 격렬하게 투쟁하는 모습을 조합원들에게 보여줘야 한다. 갈등과 긴장관계를 최고조까지 끌어올리고 협상을 중단하고 단체행동권을 행사하겠다며 으름장을 놓아야 할 때도 있다. 파업 직전까지 가다가 회사를 위해 어쩔 수 없이 한 발짝 양보하듯 10을 받아 가야 하는 것이다. 그래야만 노동조합은 조합원들에게 체면이 서고, 회사는 교섭을 원만하게 끝냈다고 만족해하는 것이다. 서로가 갑을 관계를 왔다 갔다 하면서 밀당 끝에 극적인 합의를 도출해내야 한다.

조직력이 약해서 단체행동권이 있으나 마나 한데 빨리 끝내자며 회사 측이 찐 갑질을 해대는 순간 직원들은 조합에 가입하고 어느 순간 회사가 을로 변하여 노동조합의 눈치를 봐야 하는 처지에 놓이게 되는 것이다.

법원의 중요한 결정, 합의서 등이 밤을 새우고 새벽녘에 나오는 이유를 생각해보면 이해가 될 것이다. 고심 끝에 내린 결론이라는 것이다. 오랜 산고 끝에 얻어내야만 결과물이 소중하고 값진 것이 되는 것이다. 모두가 이해하고 명분이 서는 것이다.

내가 갑이면 주도적으로 끌고 가면 된다. 내가 을이면 갑이 하자

는 대로 따라가면 된다. 갑과 을 사이를 왔다 갔다 하는 상황에서
는 적절하게 갑의 행세를 하면서 을이 될 때를 대비하면 된다. 갑
과 을의 위치가 언제든지 뒤바뀔 수 있다는 것을 염두에 두고 행동
하면 된다.

내가 갑인지 을인지 확인조차 어렵다는 이들을 위해 Y 상무의 말
을 옮겨보겠다. 그는 탁월한 상황판단 능력과 추진력을 가진 인물
로 일찌감치 임원으로 발탁되었었다. 나의 경험에 의하면 Y 상무의
말은 정답에 가깝다.

자신이 갑의 위치인지 을의 위치인지 애매할 때 확실하고 쉽게 확
인하는 방법이 있다. 같이 술자리를 해보면 알 수 있다. 갑과 을이
만난 술자리에서는 반드시 갑 쪽에서 일어나자고 할 때 끝이 난다
고 했다. 따라서 "이쯤에서 그만 일어나자."라고 말할 수 있는 쪽이
갑이라고 한다. 참으로 진리다. 아무리 나이가 어리고 직급이 낮아
도 내가 비위를 맞춰야 하는 대상이 있다. 그럴 때는 비록 소주 반
병이 주량이더라도 끝까지 술자리를 함께해야 한다. 상대방이 한참
흥이 오른 자리에서 내가 쓰러지는 한이 있더라도 말이다. 쓰러져
서 자더라도 그 자리에서 자야 한다. 온몸을 웅크리고 최대한 불쌍
하게 자야 한다. 편안하게 자는 것은 을의 행동이 아니다. 상대가
깨우면 죄송하다며 벌떡 일어나야 한다. '나를 접대하느라 애쓴다~'
라는 '측은지심'이 느껴지도록 말이다.

을은 절대로 일어나자고 말을 먼저 꺼낼 수 없다. 자신이 나이가 많

다고 직급이 높다고 눈치 없이 그만 일어나자며 말을 꺼내는 순간 그날 술자리는 안 하느니만 못한 게 된다. '이제 겨우 흥이 나려는 데, 일어나자고? 이럴 거면 뭣 하러 불러냈는데? 내가 어리다고 만 만해 보여?' 다음날 내가 미쳤다며 후회하게 된다. 그것이 을의 위 치다.

어떤 이는 비즈니스 관계에서는 술값을 내는 쪽이 을이라는 소리 를 하는데 그것은 100% 정답은 아니다. 갑이 폼 나게 술값을 치르 고, 을은 나중에 그 술값의 몇 배의 대가를 치르는 경우도 많다. 을 이 슬쩍 찔러준 법인카드로 만인이 보는 앞에서 호기롭게 결재를 하는 경우도 있다.

술값을 내는 쪽이 꼭 갑의 위치라 말할 수 없는 경험을 소개하고 자 한다.

K 지점장은 대단한 영업맨이었다. 내가 영업에 몸담았던 당시 항 공업계는 사상 최대의 호황기였다. 그러다 보니 오히려 LCC들의 무 차별적인 시장진입과 공격이 있었다. 대한항공과의 경쟁은 더욱 치 열해졌고 극도의 긴장관계를 유지하고 있었다. 시장 내 점유비율을 높이기 위해서 여행사들의 수요를 빼앗고 뺏기느라 여념이 없었다. 그런 치열한 경쟁 속에서도 그는 아시아나 영업본부에서 가지고 있 던 과거 기네스 기록을 전부 갈아치운 유일한 인물이었다.

내가 영업지점으로 옮기고 얼마 지나지 않았을 때의 일이다. 중소 여행사인 E 여행사 사장과 K 지점장의 술자리가 만들어졌다. 당시

K 지점장은 매출 5,000억 원을 책임져야 하는 영업지점장 중 1위의 위치에 있었다. 그만큼 막대한 권한을 가지고 있었기에 대형 여행사 대표들 앞에서도 K 지점장은 슈퍼 갑의 위치였다. 자신이 마음만 먹으면 갑질을 제대로 할 수 있는 위치였다. 중소여행사 대표들이 만나고 싶다고 해서 만날 수 있는 그런 위치가 아니었다. 그런데 K 지점장의 요청으로 E 여행사와의 술자리가 만들어진 것이다. E 여행사에서 최고급 와인을 2병이나 직접 챙겨오고 고급 스테이크 집을 예약했다.

'K 지점장을 접대하려면 이 정도의 성의는 보여야 하나 보다.' 나는 그렇게 생각했다.

당연히 K 지점장과 함께 한 우리가 갑의 위치라 생각했고 그 자리는 접대를 받는 자리라고 생각했다. 와인 몇 잔에 나는 꾸벅꾸벅 졸았고 E 여행사 쪽에서 계산을 마쳤다. E 여행사 사장이 그만 일어나자고 해서 모두가 기분 좋게 그 자리를 떠났다. 그런데 알고 보니 그날 우리는 을이었다. 우리 쪽이 당연히 갑이라 생각했던 나는 당황했다. 나는 그날의 술자리 이후로 E 여행사가 유치한 단체 수백 명의 항공권 가격을 특별할인 해줘야만 했다. 그날 마신 술값의 몇 배의 값을 치러야만 했다. 회사를 위해서는 그렇게 해야만 했다.

E 여행사 사장은 대한항공 출신으로 모든 수요를 대한항공으로만 보냈다. 아시아나에는 절대로 수요를 넘기지 않았다. K 지점장 앞에서도 E 여행사 사장은 을이 아니기에 당당했다.

K 지점장은 영업을 시작하지 얼마 안 된 나를 지원사격도 해줄 겸 한 수 가르쳐주려고 그날의 술자리를 만들었다. 그날 이후로 대한 항공 수요를 아시아나로 돌리는 대신에 가격지원을 약속했다. 그나마 K 지점장이 영업맨 시절 E 여행사 실장과의 인연으로 자리가 만들어질 수 있었다.

내게 참 까칠했던 여행사였는데 나는 그 이유를 몰랐다. 전직 대한항공 출신에 대한항공 주식을 수십억 원어치 가지고 있는 사장에게 아시아나와의 거래는 있을 수 없는 일이었다. 가격할인은 두 번째 문제였다. 그래서 그들에게는 내가 을로 보였던 것이다. 나는 을로서 그들에게 다가갔어야 하는 것이다. 단지 항공료 할인은 그들에게는 중요하지 않았다. 나는 그들의 눈치를 보고 비위를 맞추면서 단체수요를 제발 우리 비행기에 싣도록 하해와 같은 은혜를 베풀어달라고 해야 했다.

슈퍼 갑으로 행세할 수 있는 K 지점장이 그날 E 여행사 사장에게 먼저 자존심을 버리고, 먼저 손을 내밀어 을의 행동을 보여줬기 때문에 아시아나와의 거래를 받아들인 것이다. 누구나 을의 위치를 싫어하고 기피한다. K 지점장은 가만히 앉아 슈퍼 갑의 위치에서 접대받는 자리를 마다하고 을의 영업을 나에게 보여준 것이다. "신 차장, 잘 봐라. 상대방의 마음을 얻기 위해 영업은 상황에 따라 자신의 위치를 바꿔야 한다." 그것을 보여주고 싶었던 것이었다. K 지점장의 지원사격 이후로 E 여행사의 아시아나 매출 점유비율은 급격하게 올라갔다. 어렵게 열린 문이었고 그들 앞에서 을의 행세를 하면 할수록 그만큼 아시아나의 매출은 늘어났다. K 지점장은 영업을 막 시작한 나에게 상황에 따라서는 갑과 을의 위치를 확인하고 접근해야 한다는 것을 일깨워주었다.

for HR 매니저

1. HR 제도 설계와 운영 담당자에게

2. 슬기로운 주재원 생활에 관하여

3. Local Staff HR 이슈에 관하여

인사(HR)만 잘해도 안 망한다

1. HR 제도 설계와 운영 담당자에게

공정하게 평가하고 공평하게 보상해라
재주는 네가 부리고 돈은 내가 챙기면 기분 좋겠니?

우리 회사의 HR 제도는 과연 올바른 길을 가고 있는가? 끊임없이 고민해야 하는 숙제이다.

팀원들과 HR 제도에 관해 이야기하다 보면 많은 답답함을 느껴야만 했다. 회사가 설계한 방향과 전혀 다르게 HR 제도가 끌려가고 있었기 때문이다. "에이, 설마~. 그렇게까지 한다면 막을 수 있나? 한마디로 막가자는 건데 그렇게까지 하는 꼰대들이 생길까?" 설마 했던 제도의 허점을 악용하는 악질꼰대들이 어김없이 나타났다. 그들을 보면서 떠오르는 단어는 '내로남불'과 '후안무치'뿐이다. 결국, 그들에 의해서 HR 제도는 망가지고 본래의 취지가 희석되면서 형편없는 제도로 전락하였다. 그리고 인사팀은 회사의 직원들로부터 비난의 대상이 되었다. "형편없는 HR 제도를 설계한 무능한 인간들…."

[HR 제도 설계와 운영은?]

나는 25년 가까이 회사생활을 하면서 그중 약 20여 년간 인사업무를 하였다. 운 좋게 회사의 해외 MBA 프로그램에 선발되어 와세다 대학원에서 인사, 조직을 전공할 기회도 있었다. 그리고 국내에서 체득한 다양한 HR 경험을 토대로 4년 반 동안 주재원으로서 일본지역 관리업무를 총괄하였다. 일본에 신규 취항하는 에어서울에 노선권을 양도하는 과정에서 현지직원들의 고용승계 문제도 풀어야만 하는 기회를 얻을 수 있었다. 국내에서 쌓은 HR 경험을 토대로 해외지역의 HR 업무까지 직접 경험할 수 있는 매우 특별한 기회였다. 한 우물을 파다 보니 다양한 HR 관련 문제들을 경험했고 개선해보려고 노력도 많이 했다. 그러나 조직이라는 것은 살아서 움직이는 생물체와도 같다. HR 관련 리스크를 두려워하는 직원들에 의해 많은 저항이 있었고 제도 도입조차 무산되거나 어렵사리 도입했어도 실패하는 경우가 생겼다.

물론 내가 고민해왔고 지금부터 제시하려는 HR 제도 역시 틀릴 수 있다. 회사마다 처한 경영환경이 급변하고 세대가 바뀌면서 요구되는 조직문화가 바뀌고 있기 때문이다. 그러나 어찌 생각해 보면 HR의 본연적 기능은 바뀌지 않고 있다. 직원들에 대한 동기부여를 통한 회사의 영속성 보장이라는 점이다. 어느 세대를 막론하고 직원들은 자신들이 일한 만큼 공정하게, 만족할 만한 대가를 받으면서 일하고 싶어 한다. 회사가 직원들에게 제공할 수 있는 대가에는 재원이 필요하고 그 재원은 한정되어 있다. 결국, 공정한 배분이라는 이슈가 생기게 된다. 공정한 배분을 위해 HR 제도가 필요한 것이다. 공정하게 평가를 해야만 하고 공정하게 보상을 해야만 하는 것이다.

아쉽게도 현실에서는 공정한 평가가 왜곡되면서 공정한 보상마저 흔들리게 된다. 여러 오류를 범하면서 평가가 왜곡된다. 그중에서도 가장 큰 오류의 주범은 평가자들이다. 소위 말하는 불량꼰대들이다. 오랜 기간을 인사업무에 직간접적으로 관여하면서 지나 놓고 보니 결국 불량꼰대들이 문제라는 결론에 도달하였다. 그들은 조직 내에서 상대적으로 강자이다. 갑의 위치에 있다. 약자는 저항하기 쉽지 않다. 자신이 절대권력이라 느끼는 상사를 향한 저항은 결국 조직 내 퇴출이라는 비극이 기다릴 뿐이라는 것을 잘 알고 있다. 게다가 극도의 공포도 느끼기 때문이다. 결국, HR 제도는 불량꼰대들의 극렬한 저항과 HR 제도의 허점을 이용한 권한남용으로 서서히 망가지는 것이다. 그리고 원치 않는 조직문화, 회사를 망치는 조직문화를 덤으로 떠안게 되는 것이다.

결국, 현재 실행되고 있는 HR 제도를 불량꼰대들이 왜곡시키지 못하도록 어떻게 할 것인가? 앞으로 실행할 HR 제도에 안전장치를 어떻게 설계해서 불량꼰대들이 남용하지 못하도록 할 것인가? 이것이 HR 담당자들이 풀어나가야 할 숙제이다.

새로운 HR 제도를 실행하고자 할 때 가장 큰 저항은 불량꼰대들로부터 나올 수 있다는 점을 염두에 둬야 하는 게 어쩌면 인사담당자들의 운명이 아닌가 싶다.

공정한 보상은 인사평가에서 비롯된다.
인사평가의 공정성을 확보해야만 신상필벌이 가능하다.
공정성을 확보하기 위해서 인사평가는 반드시 공개되어야만 한다.

HR 제도가 정상적으로 실행되고 있는지 확인하고, 감독하고, 규제하기 위한 도구가 인사평가이다. 평가체계가 잘 만들어져 운영된다면 보상, 즉 연봉과 승진에 공정성을 확보할 수가 있다. 적절한 피드백을 통해 보상에서 제외된 이들의 마음도 붙잡을 수가 있다. 반대로 인사평가의 공정성을 확보하지 못하면 HR 제도가 흔들리고 성공적으로 운영할 수가 없다. 모두가 공감하고 있는 부분일 것이다.

그런데 의외로 많은 기업에서 인사평가를 공개하지 않는다. 그 이유가 무엇일까? 나의 경험에 의하면 놀랍게도 그것은 다름 아닌 평가권을 가진 팀장, 임원들의 반대 때문이었다. 그들은 자의적인 기준과 판단에 따라 평가권을 마음대로 사용하고 싶어 했다. 아무리 커다란 성과를 내더라도 자신과 코드가 맞지 않으면 배척의 대상이 되어야 했다. 그러나 그런 고성과자를 버리거나 내놓기는 싫어했다. 자신의 안정적인 집권을 위해서 반드시 고성과자가 필요하기 때문이다. 결국, 일은 죽도록 시키지만 보상은 괘씸해서 안 된다는 불량꼰대의 심리가 작동하는 것이다. 그러다 보니 평가결과를 공개할 수가 없다. 당장 부하 직원의 공격과 이탈이라는 위험을 감수할 자신이 없는 것이다. 마음에 들지는 않지만 일은 A에게, 보상은 자신을 위해 죽는시늉까지 하는 B에게 챙겨주기 위해서는 절대로 평가결과가 공개되어서는 안 되는 것이었다.

인사평가를 공개해버려야만 평가권자는 위와 같은 불량꼰대 짓을 못 하게 된다. 하더라도 정도껏 하게 된다. 불공정한 평가결과는 부하 직원의 불만과 이의제기, 퇴사로 연결될 수 있다. 그러한 일련의 과정 중에 회사는 시끄러워지게 된다. 그러면 불량꼰대 자신의 목숨이 위태로워질 수 있다. 불량꼰대들은 그 점을 두려워하는 것이다. 그래서 인사평가만큼은 어떻게든 비공개를 유지하려고 기를 쓰는 것이다. 부당한 인사평가에 대해 문제를 제기하려 해도 심증은 있으나 명확한 물증이 없다. 부하 직원이 공식적으로 이의제기할 수 없게 만들려는 것이다.

자신과 코드가 맞지 않는다는 이유만으로 형편없이 평가한 팀원과 마주앉아 설명할 자신도 용기도 없기 때문이다.

직원들은 인사평가 공개를 꾸준히 요구해 왔다. 아시아나 역시 인사평가를 공개하기 위해서 많은 노력을 했다. 여러 차례 인사평가 결과를 공개할 뻔했다. 기회가 있었다. 그러나 실행 직전에 열린 공청회에서 인사평가를 공개하겠다는 인사정책에 임원과 팀장들은 극렬히 저항했다. 심지어는 인사라인의 임원들도 내켜 하지 않았다. 올바른 방향이기에 마지못해 찬성했다. 그리고 평가공개는 실행 직전에 없던 일로 돼버렸다.

그 이유는 놀랍게도 다름 아닌 노무 문제를 유발한다는 것이었다. 인사평가에 불만을 품은 직원들이 노동조합에 가입하게 된다는 것이었다. 괴변이었다. 평가자가 나서서 왜 그런 평가를 할 수밖에 없었는지 설명하면 될 일을 노무 문제로 돌려버리는 것이었다. 그러한 주장은 항상 효과가 있었다. "노무 문제가 생길 것 같으니 이렇게 해주세요. 그것은 하지 말아주세요. 제발 도와주세요. 당신들이 책임지세요."

게다가 자신들의 리더십이 훼손된다는 것이었다. 평가라는 것이 원래 공정하지 못하다 보니 반발하는 직원들이 나올 수밖에 없다는 것이었다. 평가자 스스로가 자신들의 평가가 공정하지 못하다고 선언을 해버리는 것이었다. 물론 수식어가 붙는다. '현행 인사평가 제도가 제대로 설계되지 않아서….' 인사팀에 책임을 전가하기 위함이다.

목표를 수립하고 지속해서 피드백을 위한 면담을 진행하면서 평가권자가 생각하는 개선방향을 제시해주면 해결될 일이었다. 절차에 따라 평가하고 그 결과를 피드백하면 노무 문제가 생길 가능성은 사실상 없다. 불공정한 평가로 노무 문제를 야기할 정도라면 이미 리더로서는 실격인 것이다. 바쁘다는 핑계로 목표설정 때부터 중간점검과 피드백을 전혀 하지 않고, 평가 기간이 도래했을 때 자의적으로 평가했던 자신들이 반성하고 책임을 져야 할 일이었다. 그런데 올바른 평가체계를 설계하지 못한 인사팀의 책임으로 치부하는 것이었다.

'나는 마음껏 평가의 오류를 범하면서 직원들 위에서 군림할 테니 인사팀에서 욕을 대신 얻어먹으세요.'

인사평가의 공정성을 확보하기 위해서는
평가자에 대한 교육을 강화해야만 한다.
평가권자를 훌륭한 코치로 만들어야 한다.

회사의 인사평가권자들이 평가권을 올바르게 행사하도록 하기 위해서는 사후적인 제어장치가 필요하다. 더 좋은 것은 그런 일이 벌어지지 않도록 사전에 막는 것이다. 평가권을 남용하지 않도록 막는 것이다. 공정한 평가를 하도록 유도하는 것이다. 많은 회사에서 이미 인지하고 있는 부분이다. 훌륭한 코치를 만들려면 교육과 훈

런이 필요하다.

평가는 이런 것이다. 우리 회사 평가체계는 이렇게 만들어져 있다. 피드백이 중요하다. 면담을 잘해야 한다. 평가를 잘해야 평가권자에게도 좋은 일이 생긴다. 잘못하면 직원들이 도망간다. 잘하던 직원이 자포자기한다. 불량감자가 만들어진다. 불량꼰대의 이런 악질적인 평가도 있었다. 투서도 들어온다. 그러면 회사가 너를 가만두지 않을 것이다. 똑바로 해라.

온갖 감언이설과 때때로 협박성 멘트를 섞어가면서 평가자들을 세뇌시켜야 한다. 그런데 과연 얼마나 많은 회사에서 평가권자들에게 평가교육을 하고 있는지 확인해 볼 필요가 있다.

평가권자들은 회사 내에서 매우 바쁜 존재로 인식되고 있다. 잠시라도 자리를 비우면 큰일이 날 것처럼 생각한다. 게다가 '인사평가라는 것이 적당히 주면 되는 거지. 나도 이렇게 윗사람이 주는 대로 살아왔어도 잘만 살았다! 무슨 교육까지…. 어린 애도 아니고 말이야!' 라며 온라인 교육으로 끝내고 만다.

온라인 교육의 부작용은 잘 알 것이다. 강사가 혼자서 떠들고 있다는 것을. 온라인 교육을 틀어놓고 열심히 딴짓하기 때문이다.

인사평가의 공정성이 우수인재로 하여금 회사 전체가 올바른 방향으로 움직이도록 하는 가장 핵심적인 성공 포인트라는 것을 모두가 알고 있다. 그러나 정작 그것을 실행해야 하는 사람들은 올바른 방향이 무엇인지도 모른다. 준비하지도 않는다. 그저 공정한 평가와 보상이 이루어져야 한다는 공허한 소리만 내지를 뿐이다.

　과감하게 집체교육을 실시하자. 평가권자 모두가 자신이 저지른 잘못을 반성하고 다시는 그런 일이 없도록 해보자. 큰 비용과 시간을 투자해야 한다. 투자한 비용과 시간에 비례해서 직원들의 만족도는 올라갈 것이다. 그리고 회사는 엄청난 생산성으로 보상받을 것이다. 보상 중 일부는 다시 직원들에게 돌아갈 것이다. 여기서부터는 가만히 내버려 둬도 성장엔진은 계속해서 돌아간다.

인사평가의 공정성을 확보해야만 신상필벌이 가능하다.
공정한 평가가 이루어지면 회사 내에 무임승차자는 사라진다.
평가결과가 하나의 퇴출 시스템이 될 수 있기 때문이다.

　인사평가 공개를 통해 고성과자에게는 고연봉, 조기승진이라는 당근을 조만간 얻게 되리라는 시그널을 줄 수가 있다. 저성과자에게는 즉각적으로 개선되지 않으면 제재를 할 수도 있다는 무언의 압박이 될 수도 있다. 양쪽 모두에게 동기부여 요인이 되는 것이다. 고성과자에 대한 보상은 신경 쓰지 않아도 된다. 공정한 평가는 자동으로 공정한 보상으로 연결된다. 공정한 평가를 통해 좋은 결과표를 받았다면 좋은 보상은 당연한 거다. 불량감자가 좋은 보상을 요구하지는 않는다. 인사평가가 좋은 직원을 계속해서 낮은 연봉, 진급누락이라는 불이익을 줄 수는 없다. 그럴만한 배짱이 있는 불량꾼대는 없다.

'저성과자' 소위 말하는 불량감자는 회사가 항상 관심을 가지고 모니터링해야만 한다. 불량감자는 극소수이지만 그들로 인해 동료직원들마저 망가질 수 있기 때문이다. 제때에 찾아내서 경고를 하고, 재교육과 재도전 기회를 주고 그것도 안 되면 솎아내야만 조직이 건전하게 유지될 수 있다. 인사평가를 공개하게 되면 저성과자에 대한 모니터링을 더는 신경을 쓰지 않아도 된다. 정말로 솎아내야만 하는 불량감자가 아니라면 즉각적으로 자신의 문제점을 개선하기 위해 노력한다. 평가가 공개된 이상, 마냥 버틸 만큼 배짱이 있는 불량감자는 없다.

이처럼 인사평가 공개는 당근도, 채찍도 될 수 있다. 평가결과를 공개하였다면 지속해서 피드백도 해줘야만 한다. 특히 저성과자에게는 지속해서 경고의 시그널을 보내야만 한다. 회사라는 조직이 시간이 경과함에 따라 가장 경계해야 하는 것이 암세포처럼 퍼져나가는 관료주의와 매너리즘이다. 개국공신으로서 주인처럼 누구보다도 열정적으로 일했던 직원도 지치고, 나태해질 수밖에 없다. 생각해보라. 20대에 회사에 들어와서 60세가 되는 해까지 적어도 30년간 회사에 다니게 된다. 지치지 않는 직원이 있겠는가? 사람이 지치지 않고 꾸준히 일할 수 있도록 동기 요인을 발굴해내는 것이 인사의 역할이고 책임이라고 하지만 완벽한 인사는 있을 수 없다.

제아무리 훌륭한 인재도 어느 날 한순간에 주식투자에 실패하고 경제적 압박으로 업무는 뒷전이 돼버릴 수 있다. 부부간의 갈등, 육아, 사교육 문제로 온종일 사적인 통화를 하느라 자리를 들락거리는 직원들도 있다. 몇 년째 승진누락으로 배 째라며 드러눕는 직원, 심지어는 채용단계에서 다단계 검증과정을 뚫고 스며들어온 직원도 있다. 불량감자들이다. 어떤 불량감자는 스스로 짐을 싸서 새로운 둥지로 떠난다. 한번 뿌리 내린 땅에서 절대로 벗어나지 않으려는 불량감자도 있다. 안타깝지만 회사는 불량감자가 발견되면 최대한 빨리 인사 조치를 취해야만 한다. 자칫 잘못하면 주변의 우량감자들까지 불량감자가 돼버릴 수 있기 때문이다.

한국의 고용시장에서는 불량감자를 솎아내는 데에 많은 에너지 소모를 동반한다. 업무수행능력이 현저히 떨어져서 도저히 함께 갈 수 없다는 입증책임이 회사에 있기 때문이다. 단순히 업무상 과실로 회사가 큰 손해를 봤다고 해서 일거에 해고할 수 있는 그런 간단한 문제가 아니다. 오랜 기간에 걸쳐 주의도 주고, 재교육도 하면서 수년 동안 채증해야만 한다. 그렇더라도 해고소송에서 승소할 가능성이 생길지는 미지수다. 그래서 평가결과는 공개되어야만 한다. 불량감자로 평가받고 있다는 사실을 경고해줘야 한다. 스스로 개선하고 만회할 기회를 줄 수 있도록 말이다.

열정페이는 이제 그만!
잘못된 논공행상으로 피바람이 불 듯
회사에 망조가 들고 핵심 인재들이 떠나갈 수 있다

인사평가는 상대적인 보상을 위해 존재한다.

고로 상대적으로 보상을 받지 못한 직원들까지 만족시킬 수는 없다.

리더는 보상받지 못해 상처받은 팀원들에게 적절한 피드백을 해주고 재도전할 수 있도록 해야만 한다.

평가는 신상필벌을 위해 존재한다. 좋은 평가에는 상을 내리고, 나쁜 평가에는 벌을 내리기 위한 것이다. 상을 내리기 위해서는 자원이 필요하다. 말로만 하는 것은 칭찬일 뿐이며 효과적인 동기부여 수단이 될 수 없다. 그 효과는 얼마 가지 못한다. 칭찬만 해대다 보면 "말로만??? 열심히 해봤자 돌아오는 게 없네?" 라는 말을 듣게 되어있다.

보상에 사용할 수 있는 자원은 한정되어 있다. 그러다 보니 분배하는 과정에서 누군가는 상대적으로 적은 보상을 받을 수밖에 없다. 상대적으로 적은 보상을 받게 되는 이들은 필연적으로 불만을 품을 수밖에 없다. 상대적으로 적은 보상에 실망하고 그러한 실망이 쌓여서 회사에 대한 배신감으로 발전하게 된다. 그러나 절대다수는 평균이상의 보상을 받게 되므로 크게 불만을 느끼거나 하지는 않는다.

혹자는 상대적인 평가체계에 문제가 있다며 절대적인 평가체계로 바꿔야 한다고 주장한다. 그건 보상을 염두에 두고 할 수 있는 말이 아니다. 잘못 인지하고 있는 것이다. 모두가 잘했다고 1등급을 주면 뭐하나? 1등급에 걸맞은 보상을 해줘야 하는데 말이다. 모두가 잘했다며 모두가 1등급이라고 말하는 게 호봉제. 다 같이 잘했으니 똑같이 조금씩 나눠 먹자는 것이다. 동일하게 오르는 호봉인상, 임금인상은 그렇다 치자. 진급은 어떻게 시킬 것인가? 모두가 잘했다고 했으니 모두 다 진급시킬 것인가? 회사 내에서 누군가는 더 많은 월급을 주는 관리자로 선발해야 하지 않겠는가? 인재들의 부족한 역량을 좀 더 개발할 수 있도록 국내외 MBA도 보내야 하지 않겠는가? 평가결과가 똑같은데 이럴 때 어떻게 보상대상자를 선발할 것인가?

결국, 상대적으로 잘한 사람에게 더 많은 칭찬과 상을 내릴 수밖에 없다. 보상은 상대적으로 이루어질 수밖에 없다. 따라서 평가체계 역시 상대적이라는 결론에 도달하게 되는 것이다. 절대적으로 평가하면 된다는 이들의 주장은 보상체계까지 생각하지 못한 것이다. 그러한 주장을 하는 이들에게 나쁜 공통점이 있다. 자신들만큼은 반드시 좋은 등급을 받아야 한다고 주장한다. 자신들은 언제나 우수한 직원이고 다른 직원들은 열등한 직원이라고 주장하는 전형적인 내로남불인 것이다.

회사가 심사를 통해 200명 중 100등까지만 보상을 했다. 억울해하는 101등을 구제해야만 하는가? 구제해주면 102등은 어떻게 할 것인가? 그렇다고 미안하니 직원 전체에게 똑같이 보상할 것인가? 그러면 피가 터지도록 고생한 100등까지의 직원들은 무슨 생각을 하게 될까?

뛰어난 성과를 낸 A라는 팀이 있다고 가정해 보자. A팀 직원 중에서도 101등이 나올 수 있다. 그렇다고 101등을 구제해준다면 그 즉시 공정성이 훼손되는 것이다. 구제해 줄 수 없다. 결국, 101등은 자신의 평가결과에 불만을 품을 수밖에 없다. 평가자는 101등을 이해시켜야만 한다. 왜 101등이 되었는지 말이다. 그러나 상당수의 평가자는 101등 한 직원에게 이렇게 말한다. "아, 글쎄…. 나는 김 대리 평가를 잘 준 것 같은데. 아무래도 인사팀 놈들이 지들 맘대로 평가를 주물러댄 것 같아! 우리 회사 평가체계가 엉망인 거 김 대리도 잘 알잖아? 재수 없었다고 생각해. 소주나 한잔 하러 가자." 대충 인사팀 핑계 대면서 어색한 분위기에서 빨리 벗어나려고만 한다. 모든 원인의 출발점은 김 대리를 평가한 평가자 자신에게 있는 데도 말이다.

"그래요. 올해 김 대리가 이런 면이 부족해서 내가 평가를 잘 줄 수가 없었어요. 서운하더라도 이해하세요. 이 부분만 보완하면 내년도에는 좋은 평가를 받을 수 있을 거라 봅니다. 내년도에는 좀 더 분발합시다. 좋은 결과가 있을 거예요. 소주 한잔 어때요?" 평가하기 전에 충분히 고심하고 명확한 근거를 만들어 놓는다면 면담에 아무런 부담이 없다.

"사실은 올해 우리 팀 평가가 좋지 못했어요. 그러다 보니 아무래도 김 대리 평가에 영향을 미친 것 같네요. 팀장으로서 미안하게 생각합니다. 내년에는 내가 좀 더 잘해볼게요." 설명하기 나름이다. 꼰대 짓만 골라 하다가 성과도 제대로 내지 못하고 윗분들에게 찍히고 팀 평가 역시 엉망이라는 소리는 왜 못하는가? 단지 학교후배라는 이유로 모 대리에게 아낌없이 평가점수를 퍼주다 보니 김 대리에게 이런 일이 생겼다는 사실을 왜 숨기는가? 자신 있게 말할 배짱이 없다면 애초에 평가할 때부터 심각하게 고민했어야 할 거 아닌가? 게다가 회사 내에는 특권의식에 사로잡혀 있는 조직들이 있다. 자신들을 엘리트 조직이라고 생각한다. 그런 조직의 구성원들은 회사가 자신들에게 절대적이고 영구적으로 최고의 보상을 해줘야 한다고 주장한다. 회사에 대한 기여도와 조직의 성과와는 무관하게 말이다. HR 적인 관점에서 이런 일은 절대로 용인될 수 없다. 특정 집단에 특혜를 주는 셈이다. 공정하지 못하다. 회사가 조직의 가치를 차등적으로 부여해버리는 셈이다. A팀은 1등급 조직, B팀은 2등급 조직이라고 선언했다고 가정해보자. 회사가 성과를 내는데 2등급 조직인 B팀의 역할은 필요 없는가? 2등급으로 분류된 구성원들이 무슨 생각을 할까? 무능력한 자신들의 운명으로 받아들이고 묵묵히 일할까? 자신들을 무능력자라 폄하한 회사에 등을 돌릴까?

평가결과는 완벽하지 않다.
왜곡되는 경우도 많다.
따라서 일시적으로 낮은 평가를 받았다고 저성과자로 치부하는 것은 금물이다. 항상 재도전의 기회를 줘야만 한다.

평가는 완벽하지 않다. 평가자라는 인간의 감정이 개입될 수밖에 없기 때문이다. 자의적인 잣대를 가지고 선을 그을 수밖에 없기 때문이다. 따라서 저성과자로 평가된 팀원에게도 재도전의 기회를 반드시 줘야만 한다.

공정성이 훼손된 평가나 개인적인 사정 때문에 일시적으로 성과가 미달했을 가능성이 존재한다. 그러므로 회사가 섣불리 그들을 저성과자로 단정 짓고 불량감자 취급하는 우를 범해서는 안 된다. 만약 평가등급이 직원들 사이에서 공개돼버리면 낮은 등급을 받은 직원들은 이유를 불문하고 조직 내에서 저성과자라는 낙인이 찍혀 버린다. 완전한 불량감자가 돼버리는 것이다. 소문은 무섭도록 빠르게 전파되고, 진실을 왜곡하고 덮어버리는 경우도 많다.

코드가 맞지 않는 꼰대와의 불화로 악의적인 평가를 받는 경우도 많다. 일시적인 건강문제, 가족문제 등으로 업무에 집중할 수 없는 경우도 많다. 그들은 평가자와의 갈등이 해소되거나 개인적인 문제가 해소되면 다시 빠르게 회사에 기여할 수 있다. 따라서 그들은 절대로 저성과자가 아니다. 그러므로 연봉등급과 마찬가지로 평가결과는 본인과 평가자에게만 공개돼야 하고 반드시 인비로 관리되어야만 한다. 누적된 저평가로 경고조치를 취했음에도 불구하고 3, 4년에 걸쳐 장기적으로 낮은 평가가 지속된다면 회사로서도 불가피하게 그러한 사실을 회사 내에 공개해야만 할 수도 있다. 불량감자가 정신을 번쩍 차리도록 말이다.

평가결과에 불만을 느낀 직원들과 면담을 해보면 실제로 평가자와의 불화, 돌려먹기식 평가, 목표설정과 중간점검의 오류 등으로 인해 평가가 왜곡되는 경우가 많다.

불공정한 평가로 인해 불량감자로 낙인이 찍히게 되면 어떤 행동을 하게 될까? 인간의 욕구 중 가장 밑바닥에 있는 것이 생존(안전)의 욕구라는 말을 많이 들어보았을 것이다. 생존에 위협을 감지하면 몸 안의 보호본능이 자동으로 작동하게 된다. 보호본능은 다양하게 표출된다.

어떤 이는 좀 더 노력해서 자신이 불량감자가 아니라는 것을 증명하려고 한다. 어떤 이들은 '기왕 이렇게 된 거, 그냥 이대로 대충 살다 죽을래.' 라며 전형적인 매너리즘에 빠지는 경우도 있다.

그러나 일부 직원들은 분노하고 자신을 적극적으로 보호하려고 한다. '공격이 최선의 방어' 라는 말처럼 회사를 상대로 분쟁을 일으키게 된다. 직원 자신에게도 회사에도 결코 바람직하지 않은 소모전이 시작되는 것이다. 소송에 많은 시간과 자원을 허비하게 된다. 경영권과 인사권이 훼손되지 않도록 회사도 최선을 다해서 방어해야만 한다. 총력전을 펼칠 수밖에 없다. 결국, 직원은 오랜 시간에 걸쳐서 많은 상처를 받게 된다. 결과적으로 회사라는 조직이 얻는 게 없다. 간혹 소송에서 이기는 직원도 있겠지만 이미 루비콘강을 건넌 것과 별반 차이가 없다. 과거와 같은 정상적인 조직생활로 돌아가는 것은 현실에서는 불가능에 가깝다. 반대로 회사가 소송에서 이기면 해당 직원은 공증된 불량감자가 될 뿐이다. 결국 소송의 결과와는 무관하게 해당 직원은 불량감자로 치부되고 '부채성 자원'으로 폄하될 수밖에 없다. 결국, 갈등은 해소될 수 없고 갈등관계를 오랜 기간 지속할 뿐이다.

얼마나 안타까운 일인가? 공정성을 훼손한 평가결과가 인재를 하루아침에 조직에 쓸모없는 불량감자로 만들어버리는 것이다. 만약 여러분이 억울하게 불량감자로 평가받는다면 어떻게 하겠는가? 조직 내에서 갈등을 초래하고 문제를 야기한다며 불량감자 취급하고 있는 직원들의 이력을 면밀하게 살펴보라. 일관되게 평가가 나쁜 직원도 있지만, 상당수는 그렇지 않다. 극단적으로 좋은 평가와 나쁜 평가가 교차하는 특정 시기나 계기가 있다. 상사와의 갈등이 보복성 인사평가로 이어졌을 가능성이 크다. 불공정한 평가와 꼰대의 부당한 업무지시에 항변하는 과정에서 심지어는 퇴사압박까지 받는 경우도 있다. 생존을 위해 저항할 수밖에 없다. 악질적인 꼰대의 부당행위에도 다른 팀원들은 모두가 공포에 떨며 애써 외면해 버리는 경우도 있다. 불량꼰대의 뒷배가 든든할 경우에는 더더욱 그렇다. 결국, 팀 내에서 '왕따'로도 모자라서 회사 내에서조차 저성과자로 낙인이 찍혀버리는 것이다.

저성과자로 치부된 직원 중에는 회사에 크게 공헌하여 포상을 받은 직원들도 있다. 묵묵히 일하기보다는 외향적이고 적극적이고 개방적이다. 타인에게도 오픈마인드로 쉽게 접근하는 업무스타일이다. 그러다 보니 성과도 많이 내고 사고도 많이 친다. 포상을 받자 회사를 위해 더 열심히 해보자는 의욕이 앞선 나머지 큰 사고를 치고 '시한폭탄'으로 불리고 조직 내에서 소외당하게 된다. 포상을 추천했던 전임 팀장에게는 인재였지만 폭탄을 맞은 후임 팀장에게는 사고뭉치로 보인다. 제발 가만히 앉아만 있었으면 하는 불량감자로 보이게 되는 것이다. 하지만 결코 불량감자가 아니다.

심지어는 회사로부터 높은 역량을 인정받아 관리자로 오랫동안 일한 직원들도 있다. 어느 날 석연치 않은 이유로 배제되거나 공정성이 훼손된 인사 조치로 직책에서 해임되고 소외되면서 결국 회사와의 관계가 회복할 수 없는 단계에 이르게 된다. 회사에 대한 애정이 애증으로 변하고 배신감으로 회사와 심하게 충돌하게 된다.

성과주의 연봉제는 호봉제의 약점을 보완한다.
성과는 즉각적으로 보상에 연계되어야만 한다.
회사의 경영환경이 급변하는 상황에서 몇 년을 기다려야만 하는 승진은 더는 효과적인 동기 요인이 될 수 없다.

바람직한 회사라면 공정한 인사평가 제도를 확보하고 훌륭한 보상체계를 가져야 한다. 다 함께 잘살아보자는 전통적인 호봉제 보상체계는 획일성을 강조한다. 공정성을 강조하고 능력에 따라 차별적으로 보상해야만 한다고 주장하는 신세대에게는 적합하지 않은 보상체계다. 무엇보다도 그들은 자신들의 성과에 대해 즉각적으로 보상받기를 원하기 때문이다. 기다릴 수 없다.

호봉제는 진급을 통해 보상하는 방식이다. 아무리 커다란 성과를 내더라도 오랫동안 기다려야만 진급을 할 수 있다. 진급한 직원만이 보상을 받게 된다. 승자가 독식하는 구조다. 그러다 보니 폐단이 나올 수밖에 없다. 가장 흔한 폐단이 돌려먹기식 보상이다. 순번을 정하고 그에 따라 진급을 해야 한다. 그것이 공정하다고 생각한다. 평가자 즉 리더의 입장에서도 누구를 진급시킬까 고민할 필요도 없고 부하 직원들에게 욕먹을 필요도 없다. 밀어줬던 직원이 진급에서 떨어지면 다 같이 회사를 욕해대면 그만이다. 이것만큼 공평해 보이고 편한 게 없다. 이것이 호봉제 보상체계에서 가장 많이 나타나는 부작용이다. 보상기능이 약한 호봉제가 가지고 있는 유일한 동기 요인이라 할 수 있는 승진마저도 그 기능을 제대로 못 하게 되는 것이다.

인재 한 명이 천 명, 만 명을 먹여 살린다고 떠들어 대는 세상이다. 크게 성과를 낸 인재들은 과거에 꼰대들이 그랬던 것처럼 '열심히 일하다 보면 언젠가는 회사가 보상해 주겠지?'하는 막연한 기대를 하며 기다려주지 않는다. 과거와 달리 신세대들에게는 성과에 대해 즉각적인 보상을 해줘야만 한다. 양보, 인내, 타협, 화합과 융통성을 강조했던 우리 세대는 꼰대세대로 불릴 뿐이다. 이들은 공정성을 중시하고 지향한다. 공정성이 훼손되면 즉각적으로 반발하고 이탈을 준비한다. 보상체계에 대한 공정성을 바라보는 시각은 세대차이만큼이나 다르다. 즉각적으로 보상할 수 있는 기능을 가진 연봉제 도입이 필요한 이유 중의 하나이기도 하다.

연봉제는 매년 회사가 거둔 성과에 대하여 개인별 기여도에 따라 연봉을 차등적으로 인상해주므로 즉각적인 보상기능을 가지고 있다. 승자에 대한 보상뿐만 아니라 패자에 대해서도 재도전의 기회를 줄 수가 있다. 올해 기여도가 낮았던 직원도 다음 해에 열심히 하면 좋은 연봉등급을 받고 즉각적으로 만회할 수 있도록 해준다. 패자부활의 기회가 주어지는 것이다.

직장인들이 생각하는 공정성은 세대 간에 다르다.
보상체계도 바뀔 수밖에 없다.

꼰대세대의 공정성은 '서열에 따라, 때로는 포기하고, 양보할 줄
알아야 하며, 화합, 융화, 희생, 용서, 다 함께, 상생이 공정한 회사
를 만드는 길'이라 교육을 받은 세대였다.

'성과를 좀 낸 것 같은데⋯. 올해는 진급하려나? 아니다. 김 선배도
진급대상이지. 어쩔 수 없지 뭐. 선배보다 먼저 진급하는 것도 불편
하잖아? 선배를 제치고 가면 불공정한 거지.'
'저 친구 또 사고 쳤네. 사람은 참 좋은데⋯. 어쩔 수 있나? 저 친구
처자식 생각해서 내가 참아야지. 내가 참고 함께 가야 공정한 거야.
내가 사고 칠 수도 있잖아.'
'직장생활은 가늘고 길게 가는 거라고 하더라. 선배들 말이 맞겠
지? 너무 열심히 해봤자 피곤할 뿐이야. 죽도록 일해 봤자 윗사람
떠나면 그만이지 뭐. 한두 번 당해봤나⋯. 대충 일하고 묻혀가는 게
공정한 거야.'
'어이쿠. 사고 터졌네. 이를 어쩌나? 윗사람 잘못 만난 것도, 후배
잘못 만난 것도 다 내 책임이지. 부덕한 것도 내 잘못이다. 잘못했

다고 말하고 선처를 빌어야지.'

'한번은 용서해 주겠지…. 설마 나를 자르겠어? 그것이 공정한 거야.'

신세대의 공정성은 과거 세대가 생각하는 것과 다르다. 능력에 따라, 치열하게 경쟁해야 하며, 성과를 도출해야 하며, 남들보다 많은 연봉, 빠른 승진, 합리적인 차별, 프로페셔널, 도태가 공정한 회사를 만드는 길이라 생각한다.

'성과를 내면 즉각적으로 보상받아야 한다. 내가 왜 포기하고 양해해야 하나? 나중에 보상받는 것은 공정하지 못한 것이다.'

'회사는 무능한 직원을 즉시 퇴출해야 한다. 그렇게 못한다면 회사는 열심히 일하는 나에게 그만큼 더 많이 보상을 해줘야만 한다. 그것이 공정한 것이다.'

'나는 인재이다. 엘리트가 되도록 교육을 받았고 그렇게 성장했다. 그러므로 회사가 나를 인재로 인정하고 빨리 진급시켜줘야만 공정한 것이다.'

'나는 누구처럼 대충하지 않는다. 나는 완벽한 프로다. 선배보다 먼저 진급해야 한다. 경쟁에서 살아남는 길이다. 그것이 당연하고 공정한 것이다.'

'만약에 내가 잘못했다면 책임을 지고 회사를 떠나야 한다. 그것이

공정한 것이다. 그러나 내가 잘못할 리가 없다.'

　전통적인 호봉제 보상방식에서는 하위직급 연봉이 상위직급 연봉을 뚫고 올라갈 수 없다. 오랜 근속으로 호봉이 쌓이면 호봉 간 차액을 줄이거나 특정 시점에 호봉상승이 멈추도록 설계하기 때문이다. 반드시 진급해야만 상위직급의 연봉으로 튀어 오른다. 회사는 직원들에게 많은 보상을 받고 싶다면 남들보다 빨리 진급하라는 시그널을 보낸다. 필사적으로 진급에 매달리도록 만든다. 아무리 큰 성과를 내더라도 진급을 위해서는 필요한 승진 연한을 채워야만 한다. 한마디로 진급을 위해서는 회사가 정한 시점까지 묵묵히 소처럼 일해야만 하는 것이다. 그것이 싫으면 떠나야 한다.

　과거에는 급격하게 성장한다는 표현 자체가 어색한 시대였다. 안정 속의 성장이라는 표현이 어울리는 시대였다. 누구나 성실하게 그만그만하게 일했으니 개인별로 차별성이 보이는 성과랄 것도 없다. 그들 중에서 입사순으로 직원 몇 명 골라서 승진시켜주면 그만인 세상이었다. 호봉제는 이런 취지로 설계된 제도이다 보니 고성과자에 대한 즉각적인 보상기능이 없다. HR 관점에서 보면 커다란 약점이다. 더 큰 약점은 신세대의 공정성에 맞지 않게, 대충 일하는 직원도 열심히 일하는 직원도 동일한 연봉을 받다 보니 상대적 박탈감을 느끼게 만든다는 점이다. 상대적 박탈감은 적절히 통제할 수 없기 때문에 매우 위험한 인자이다.

성장단계에 있는 회사라면 일정 수준의 진급률을 유지할 수가 있다. 고성과자들이 진급할 기회라도 있으니 그나마 다행이다. 그러나 회사가 성숙단계에 접어들어 성장이 둔화되면 진급률이 낮아질 수밖에 없다. 동기 요인이 약해지고 HR 적으로 난관에 봉착하게 된다. 진급률이 낮아지면 유능한 직원들이 승진에서 탈락하고 좌절하여 이탈해버릴 가능성이 커지기 때문이다. 게다가 회사가 어려워지고 진급률이 낮아질수록 보이지 않는 손들에 의해 공정성마저 흔들리게 된다. 좋은 보직, 진급에 인위적인 조정이 일어날 수 있다. 작은 파이를 서로 먹으려다 보니 자연스럽게 나타나는 왜곡현상이다. 공정성이 훼손되고 직원들의 불만이 커지니 조직은 더욱더 생존을 위협받게 된다.

호봉제 즉 승진에 의한 보상체계를 고집할 경우 가장 큰 단점인 즉각적인 보상기능이 약하다는 점을 해소할 수 없다. 몇 년을 기다려서 승진 연한을 채워야만 하고 치열한 경쟁률을 뚫고 승진을 해야만 비로소 보상을 받을 수 있기 때문이다.

물론 크게 성과를 낸 직원을 위해 대표이사가 특진(특별승진)이라는 이례적인 보상책을 사용할 수도 있다. 조직은 엄정하고 공정한 인사체계에 의해서 체계적으로 움직여야만 안정을 유지할 수 있다. 그런 면에서 보면 특진은 바람직하지 않다. 특진은 절대적으로 그 대상자가 적다. 그러다 보니 선발에 공정성이 훼손될 수 있다. A라는 직원을 특진시키면 특진하지 못한 다수의 직원이 소외감을 느낀다. 부풀어진 성과에 의해 공정성이 훼손된 특진일 경우 더욱 심각하다. 유사한 성과를 낸 다른 직원들, 드러나지 않게 서포트했던 직원들은 자신이 특진하지 못한 것에 대해 서운함을 느끼게 된다. 시간이 지날수록 서운함은 불만으로 발전한다. 소외된 직원들은 대표이사를 맹렬히 비난한다. 공정하지 못한 대표이사로 전락하고 회사는 신뢰를 잃게 된다. 특별승진은 득보다 실이 많은 인사제도다. 그래서 자칫 충동적으로 보일 수 있는 특진제도를 지양할 수밖에 없다. 그러다 보니 최대한 공정성을 확보하기 위해서 정기적으로 승진을 발표하게 되는 것이다. 결국, 고성과자도 승진할 때까지는 체념하고 기다려야 한다.

이런 과거의 보상체계를 젊은 신세대들이 과연 공정하다고 받아들이고 공감할 수 있겠는가?

연봉제에서는 개인의 연봉을 철저히 비밀에 부쳐야만 한다.
상대적 박탈감을 통제할 수 없기 때문이다.
상대적 박탈감만큼 통제하기 어려운 것은 없다.

연봉제는 개인 연봉에 대한 철저한 비밀유지를 전제로 도입해야 한다. 개인 연봉이 공개될 경우 상대적 박탈감을 느껴 다른 직원들의 동기 요인을 약화시키기 때문이다. 상대적 박탈감은 개인별로 느끼는 기준에 차이가 있고, 느끼는 강도가 다르기에 회사가 통제하기 어렵다. 사실상 불가능하다.

대폭 인상된 연봉을 확인하고 흡족한 마음에 흔쾌히 연봉계약서에 서명한다. '역시 회사가 나를 인정했네. 드디어 내 연봉이 1억을…. 하하하'

우연히 동기의 연봉을 알게 된다. '엥? 왜 매일같이 웹 서핑이나 하면서 시간 때우는 저 친구보다도 내 연봉이 적어? 회사가 미쳤나? 아~열 받네. 나 일 안 해!'

꿈에 그리던 연봉 1억 클럽에 가입하게 되어 누구보다도 행복했던 자신보다 1만 원 정도 더 받는 동기를 보면서 상대적 박탈감을 느끼게 된다. 상대적 박탈감은 자신을 기준으로 느끼게 되므로 회사가 인지할 수가 없다. 알 수가 없으니 통제할 수도 없다. 다만 최대한 상대적 박탈감을 느끼지 않도록 공정한 평가와 보상을 위해 노력할 뿐이다.

심지어 어떤 직원들은 자신보다 더 적은 연봉을 받는 동기를 보면서도 상대적인 박탈감을 느낀다.

'뭐야? 회사가 내쫓아도 시원찮을 판에 저 친구에게 연봉을 8천만 원이나 준단 말이야? 회사에 돈이 남아도나 보네. 그런데 나는 겨우 1억이라고? 2억을 받아도 모자라겠네!'

이런 생각들을 하게 되는 것이다. 따라서 타 직원의 연봉을 공개하거나 알려고 하면 징계조치를 취한다는 엄포를 놓게 되는 것이다.

개인별 연봉에 대한 보안유지는 엄격하게 지켜져야만 한다.

호봉제 보상체계를 포기하고 연봉제를 받아들이도록 하기 위해서는 투명하고 수용성이 높도록 연봉제도를 설계해야만 한다.

전통적 호봉제 보상체계를 운영해 온 회사에서 연봉제 도입을 위한 직원들의 합의를 이끌어내기란 쉽지 않다. 상대적 박탈감을 최소화하고 연봉제를 안정적으로 운영하려다 보니 개인의 연봉인상 내역을 공개할 수가 없다. 그러다 보니 직원들은 회사가 정상적으로 임금인상 재원을 집행했는지 알 수가 없게 된다. 회사가 인건비를 줄이기 위해 꼼수를 쓰려고 한다는 의심이 싹트게 된다. 직원들이 반대하기 시작하고 시끄러워진다. 일부 직원들은 공정하지 않은 평가 잣대를 가지고 임금을 빼앗으려 한다고 떠들어댄다. 누구나 피해자가 될 수 있다며 공포심을 조성한다. 직원들의 반발이 거세진다. 결국, 회사는 도입을 포기하게 된다.

회사에는 성과창출에 크게 기여하여 적절한 보상을 통해 이탈을 방지해야 할 소수의 고성과자들, 성과창출에 부족함 없이 적절하게 기여한 절대다수의 일반 직원들, 그리고 성과창출에 전혀 기여하지 못하는 극소수의 저성과자가 있다.

연봉제를 설계할 때 절대다수의 직원들이 호봉제대비 평균이상의 보상을 받도록 설계하고 있다. 직원들의 수용성을 높이기 위해서 말이다. 물론 성과창출에 전혀 기여하지 못하고 무임승차하는 극소수의 저성과자들에 대한 지금까지의 획일적인 보상은 중단하게 된다. 그들에게서 회수한 보상재원은 다른 직원들의 보상재원으로 전용된다. 그 과정에서 회사가 추가로 재원을 부담하게 된다. 극소수의 저성과자에게서 회수한 재원만으로는 고성과자들의 보상재원으로 충분하지 않기 때문이다. 이 부분을 충분히 설명해야만 한다. 단순히 회사가 비용을 절감하려거나 비용 한 푼 안 들이고 저성과자 몫을 약탈해 고성과자에게 찔끔 던져준다는 오해를 불식시켜야만 한다. 그래야만 직원들이 이해하고 동의할 수 있다.

연봉제 도입은 절대다수가 수혜자가 되는 것이다. 직원들이 신뢰할 수 있는 투명하고 합리적인 연봉제 운영을 반대할 직원이 전체 인원의 50%를 넘을 거라 생각하는가? 만약 50% 이상의 인원이 반대할 거라 예상한다면 회사와 직원 간 불신의 골이 매우 깊음을 의미한다. 즉각적으로 직원들과 대화를 시작해야 한다. 불신의 원인이 무엇인지 찾아내서 해결해야만 한다. 연봉제 도입은 그다음 문제이다.

연봉제 도입이라는 임금체계 변경은 과반수 이상의 동의를 구해야 하는 취업규칙 변경사항이다. 남들보다 더 일한 직원, 남들만큼 일한 직원, 그리고 남들보다 덜 일한 직원에 대한 보상기준을 차등 운영하는 것이다. 이에 대해 반대할 직원들은 그리 많지 않다. '사돈이 땅을 사면 배가 아프다.'는 속담이 만들어진 나라에서 말이다.

대다수 직원은 자신만큼 열심히 일하지 않는 동료들을 향해 애써 웃음 짓지만 속으로는 그들을 용납할 수 없다. '내가 왜 저 친구 일까지 해야 하지? 내가 왜 저 친구와 같은 월급을 받아야 하지? 이게 공정한 보상이야? 인사팀은 도대체 뭐하고 있는 거야?'

취업규칙 변경절차를 진행하고 동의를 구하는데 어려움은 전혀 없을 것이다. 내 말이 믿기지 않는다면 직원들을 대상으로 설문조사를 해보라. 그들도 다 안다. 누가 열심히 일하는지. 그리고 누가 하는 일 없이 자신들의 밥그릇을 빼앗고 있는지. 단지 귀찮아서 말을 안 하고 있을 뿐이다.

새로운 인사제도를 도입하기 위해 취업규칙 변경절차를 진행하면서 최대한 많은 직원의 동의를 구하는 게 안정적인 제도운용에 동력이 될 수 있다. 지지율이 높은 대통령이 국정 업무를 수행하기가 수월한 것과 마찬가지다. 그래서 설명회를 개최하고 간담회를 열고 최대한 공감대를 형성하기 위해서 충분히 대화하고 노력하는 것이다. 궁극적으로 절대다수의 직원들을 위해서 새로운 제도를 도입하려는 거 아닌가? 귀찮더라도 시끄럽더라도 회피하지 말고 최대한 많은 설명회를 개최해야만 한다. 그것이 회사의 의무이고 인사의 역할이다.

고성과자는 승진하지 않더라도 상위 직급의 연봉을 뚫고 올라갈 수 있도록 설계해야만 한다.

연봉제에서는 매년 성과를 낸 직원들에게 차등적인 연봉인상조치를 통해 즉각적으로 보상할 수 있다. 개인의 연봉을 공개하지 않기 때문에 상대적 박탈감, 공정성에 대한 부담도 낮다. 연봉은 고정적으로 지급하는 기본연봉과 성과급을 분배하는 성과연봉으로 설계한다.

회사가 한 해 동안 거둬들인 이익을 분배하는 성과급 역시 개인별 기여도에 따라 차등지급할 수가 있다. 팀별 기여도와 개인별 기여도를 반영하여 성과급을 차등지급하는 것에 대해 직원들은 일률적인 지급방식보다 공정하다고 느낄 것이다.

한 해 동안 달성한 경영성과는 일시적인 성과이므로 매년 지급대상과 지급기준을 리셋하는 비누적식 방식으로 설계한다. 반면에 호봉인상률 재원과 임금인상률 재원, 승진에 따른 재원을 활용하는 기본연봉은 고정성 인건비에 해당하므로 누적식 방식으로 운영하여야 한다. 그래야만 직원들의 수용성을 높일 수가 있다.

매년 성과에 따라 차등인상하게 되는 기본연봉 인상률은 고성과자의 경우, 4, 5년 이내에 상위 직급의 연봉을 뚫고 올라갈 수 있도록 설계해야 한다. 과거 호봉제에서도 정상적인 승진이 이루어진다면 고성과자의 경우 4, 5년 이내에 진급하게 되어 있을 것이다. 따라서 고성과자는 진급하지 않더라도 과거의 진급자와 동일 수준의 연봉을 받을 수 있도록 설계해야만 한다. 물론 승진 연한이 더 긴

회사라면 거기에 맞춰서 조정하면 된다. 6, 7년 단위로 승진 연한을 정한 회사였다면 6, 7년 이내에 상위직급의 연봉에 도달하도록 설계하면 된다.

호봉제와 달리 성장이 정체되더라도 승진 여부와 상관없이 고성과자에 대해서만큼은 매년 지속적으로 보상이 이루어지게 된다. 물론 저성과자들은 낮은 연봉인상률로 상대적 박탈감과 사기저하가 나타날 수도 있다. 그러나 이들도 의지만 있다면 다음연도에 분발하여 얼마든지 만회할 수 있으므로 크게 상심할 필요가 없다.

약간의 추가적인 인건비 부담으로 고성과자에 대해서는 즉각적이고 지속적으로 충분한 보상을 하게 되어 효과적인 동기 요인이 된다. 상대적으로 성과가 적어 연봉상승률이 낮은 직원들에 대해서는 분발을 유도하는 동기 요인이 된다. 그리고 분발하지 않는 직원들에 대해서는 적극적인 경고의 메시지가 될 수도 있다. 일석삼조다.

연봉책정의 공정성을 확보할 수 있도록 연봉산정위원회를 운영하여야 한다. 나눠먹기식으로 연봉산정위원회가 운영되지 않도록 모니터링을 강화해야 한다.

직원들의 연봉심사를 위해 인사평가 등을 포함해서 연봉산정에 필요한 점수를 매기게 된다. 그리고 연봉등급을 확정하게 된다. 다만 왜곡된 평가를 보완하기 위해서는 연봉등급을 확정하기 전에 연봉산정위원회를 운영할 필요가 있다. 연봉산정위원회에서 고성과자와 저성과자의 평가표를 한 번 더 조정 여부를 검토한 후에 확정할 필요가 있다. 연봉산정위원회 위원들에게 많은 권한을 줄 필요는 없다. 한 등급 정도 조정할 수 있는 권한을 부여하면 그만이다. 그것 또한 엄격한 소명을 통해서 말이다. 자칫 이 직원도 상향조정, 저 직원도 상향 조정해야 한다는 온정주의가 나타나지 않도록 해야 한다. 바터제(Barter 制: 1대1 맞교환)를 이용해서 한 명을 상향 조정하면 한 명을 하향 조정하는 방식으로 제한하는 방법도 고려해볼 만하다.

연봉책정의 공정성을 재확인할 수 있도록 연봉소원제도와 평가자에 대한 경고 장치를 마련해야 한다.
그러면 연봉제에 대한 수용성은 더욱 높아질 것이다.

공정성이 결여된 연봉책정이라고 느끼고 불평하는 직원들이 있다. 그들을 위해서 연봉소원제도를 통해 제3자가 객관적으로 재평가하고 구제하는 절차를 마련해 주면 수용성은 그만큼 높아지게 된다.

연봉소원 심사를 통해 상호 이해할만한 수준의 결과를 도출해내고 연봉등급을 조정해주거나 유지해주면 된다. 설령 낮은 등급을 받은 직원도 이해할만한 충분한 설명을 들었기에 자신의 연봉을 수용하게 된다.

연봉소원제도를 통해 만약 연봉등급을 조정하게 되는 일이 발생한다면 평가자에 대해서는 대표이사 명의의 엄중 경고 조치가 반드시 필요하다. 불량꼰대에 의한 평가오류는 피평가자들에게 회사에 대한 불신감을 키우고 조직을 위험에 빠뜨릴 수 있기 때문이다. 회사가 실시하는 모든 보상체계의 신뢰성을 훼손하는 일이기 때문이다.

만약 평가오류를 빈번하게 저지르는 평가자가 있다면 즉각적으로 해임조치 하여야 한다. 그리고 그러한 불량꼰대를 추천한 임원진에 대해서도 엄중 경고해야 한다. 절대로 그러한 불량꼰대가 조직 내에 생존하거나 양산되지 않도록 조치해야만 하는 것이다. 그래야만 평가의 공정성이 확보되고 성공적인 연봉제도가 정착될 수 있다. 회사가 가장 소홀히 하는 부분 중의 하나다. 인사권은 회사. 즉 평가권자의 고유권한이므로 마음대로 행사해도 된다는 오만함으로 평가자의 잘못을 인정하려 하지 않는 실수를 범하는 것이다. 회사가 인사권을 남용하지 않고 자신이 이해할만한 평가를 바탕으로 공정하게 보상을 해주는 회사에 다닌다면 무슨 불만이 생기겠는가? 회사를 위해서 열심히 일만 하면 알아서 챙겨주는 데 말이다. 유감스럽게도 아직은 회사에 불량꼰대들이 넘쳐나고 그들에 의해 인사권은 남용되고, 평가는 왜곡되고, 공정하지 못한 보상이 이루어지고 있다.

아시아나에는 평가체계를 문제 삼는 직원들이 많았다. 나는 그 말에 동의할 수가 없다. 평가체계의 문제보다는 평가자의 오류가 더 큰 문제였다. 평가 체계상 오류를 막기 위한 안전장치는 마련되어 있었기 때문이다. 임원, 본부장, 대표이사가 조직평가를 통해 불량 꼰대가 평가한 최초 평가결과를 상향조정 또는 하향 조정할 수 있도록 보완장치가 있었다. 그것만으로는 부족하다 싶어 연봉등급을 공정하게 확정하기 위해 연봉산정위원회라는 심사기구를 운영하고 있었다. 혹시나 모를 평가 왜곡을 한 번 더 확인하기 위해서 말이다. 연봉산정위원회 위원들은 자신들의 산하에 있는 직원들에 대해서 확정 직전의 연봉등급을 한 번 더 확인하고 필요하면 조정할 수 있는 권한을 가지고 있었다. 아시아나에는 불완전한 평가체계를 보완하고 조정할 수 있도록 2중, 3중의 안전장치가 마련되어 있었다. 그런데도 자신의 연봉등급에 이의를 제기하는 직원들을 위하여 연봉소원제도도 운용하고 있었다. 평가 체계상의 오류를 찾아보기는 어렵다. 다만, 앞서 제기한 바와 같이 평가를 공개하지 않다 보니 평가자에 의한 왜곡을 제어하는 데 한계에 부딪혔던 것이다.

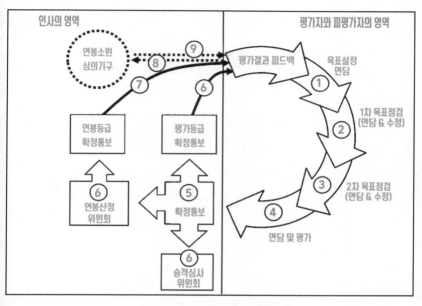

[평가 및 보상체계의 흐름]

성과주의 연봉제 도입이 어렵다면 호봉제 보상체계의 단점인 승진연한제만이라도 보완하자. 승진연한제와 특진제도를 보완할 수 있는 승진 포인트제를 도입하자.

호봉제와 연계되어 있는 승진연한제 보상체계의 단점은 즉각적인 보상기능이 약하는 점이다. 제아무리 열심히 일하고 좋은 성과를 내더라도 승진에 필요한 최소연수를 채워야만 승진대상이 되고 승진시킬 수 있는 것이다. 그러다 보니 무리해서 특진을 시키고 부작용이 생기는 것이다.

인사는 원칙을 중요시한다. 예외를 싫어한다. 예외는 또 다른 선례가 되어 원칙을 훼손하게 된다. 그래서 특진제도를 반대한다. 특진은 말 그대로 원칙과 무관하게 특별한 잣대를 적용하여 진급을 시킨다는 말이다. 쉽게 말해서 자의적인 기준으로 특혜를 부여한다는 말이 된다. 시간이 흐르면서 나오는 말이 있다. "그때 거시기는 특진시켰잖아요? 왜 머시기는 안 됩니까? 인사가 원칙도 없어요!" 특진제도의 공정성을 보완하는 방법이라 할 수 있는 승진포인트제는 매년 실시하는 평가등급에 따라 승진포인트를 부여하고 이를 기준으로 진급대상자를 선발하는 방식이다. 승진 연한에 따른 장기적인 보상체계를 즉각적인 보상체계로 바꿀 수 있는 방법이다.

아시아나에서는 연봉제를 적용하는 직원들을 대상으로 승진포인트제를 도입하여, 1년 이상 조기 진급할 수 있도록 설계하여 운영하고 있다. 호봉제 직원들의 대리 진급에 필요한 승진 연한은 3년이다. 반드시 3년이 지나야만 승진대상이 될 수 있다.

승진포인트제를 도입한 후에는 18점을 취득하면 승진심사대상이 될 수 있다. 인사평가등급을 5등급으로 나누고, 1등급은 10점, 2등급은 8점, 중간등급인 3등급은 6점, 4등급은 4점, 5등급은 2점을 부여한다. 따라서 2년에 걸쳐 1등급과 2등급을 받게 되면 18점을 충족하게 되어 승진심사 대상자가 되는 것이다. 고성과자에 대하여 매년 높은 연봉인상률로 보상할 수 있을 뿐만 아니라 조기승진이라는 보상도 추가로 해줄 수 있게 된다. 보상체계가 강화되는 것이다. 저성과자도 승진연한제에서는 3년이면 예외 없이 승진대상자가 된다. 승진포인트제에서는 5등급(승진포인트 2점)만 지속해서 받게 된다면 최소 9년이 지나야만 승진대상(18점)이 될 수 있는 것이다. 저성과자는 승진기회를 얻기가 힘들어지는 것이다. 그러나 5등급을 받은 직원도 다음 연도에 1등급을 받으면 전년도의 부진을 만회할 수가 있다. 패자부활도 가능한 것이다. 따라서 일시적인 저성과자에게도 동기부여가 가능하다.

실무적인 HR 관점에서 승진포인트제 도입의 필요성을 느끼는 이유 중 하나는 불량감자를 원칙에 따라 보상을 제한해 버릴 수 있기 때문이다. 인사업무를 오랫동안 하다 보면 가끔 회의를 느낄 때가 있다. 다름 아닌 정권교체(경영진 교체)에 따라 화려하게 부활하는 불량감자들이 나타나기 때문이다. 오랫동안 모두가 인정하는 불량감자였는데 어느 날 갑자기 승진하고 부활하는 것이다. 아무리 인사에서 반대하더라도 불량감자가 승진대상자가 되는 순간 이런저런 명분을 내세워 승진을 시키는 것이다. 그러나 승진 포인트제에서는 불량감자가 승진포인트를 쉽게 채울 수는 없다. 제아무리 인사권을 쥐고 흔들 수 있는 위치에 있더라도 승진대상자가 되지 않는 한 승진시킬 명분이 없다. 특진밖에 없다. 그러나 불량감자를 특진시키는 것은 자기 목을 내놓고 해야 한다. 결국, 승진시킬 수가 없다. 대리 진급심사를 받기 위해 9년을 기다려야 하고 과장 진급심사를 받기 위해 12년을 기다려야 한다. 제아무리 몸부림쳐도 과장을 다는 데에만 21년이 걸린다. 그러는 사이에 정권은 또다시 바뀌게 되어 있다.

 승진심사는 인사권 영역이고 회사의 고유한 권한이므로 승진 연한을 회사가 임의로 늘리거나 줄일 수 있다고 생각할 수도 있다. 그러나 기존의 호봉제에서는 3년 만에 진급할 기회가 승진포인트제에 의해 4년, 5년으로 늦춰진다면 직원 입장에서 불이익을 받았다고 주장할 수도 있다. 따라서 승진포인트제 도입은 취업규칙의 불이익한 변경절차를 밟을 필요가 있다. 직원들과 공감대를 형성하면 절대로 과반수 동의를 얻는 것이 어려운 일이 아니다. 평소에 공정한 인사를 실시하는 회사라면 열심히 일한 직원을 위해 조기 승진을 위한 제도를 도입하게 되는 것이다. 불량감자는 어차피 승진 못하는 게 정상 아니겠는가? 직원 대다수에게 조기진급과 패자부활전의 기회를 줄 수 있는 승진포인트제는 승진제도를 유지하는 회사에서는 적극 검토해야 하는 보상체계이다.

구분	1등급	2등급	3등급	4등급	5등급
승진포인트 주1)	10점	8점	6점	4점	2점
인원비율 주2)	10%	20%	40%	20%	10%

[승진포인트와 인원비율 예시]

주1) 등급간 포인트 간격을 키울수록 고성과자에 대한 보상력 강화됨

주2) 1,2등급 인원비율을 늘릴수록 고성과자에 대한 보상력 강화됨

4, 5등급 인원비율을 줄일수록 수용성은 높아짐

구분	승진연한제	승진포인트제			
		승진포인트	최단충족	평균충족	최장충족
사원 → 대리	3년	18점 주1)	2년	3년	9년
대리 → 과장	4년	24점	3년	4년	12년
과장 → 차장	5년	30점	3년	5년	15년

[승진연한제 vs 승진포인트제 예시]

주1) 승진포인트 18점 = 승진연한(3년) × 3등급 승진포인트(6점)

수평적 조직문화를 지향해라
호칭제도는 역사 속의 유물일 뿐이다
더는 서열과 경륜이 능력과 성과를 우선할 수는 없다

오래된 회사에서 호칭제도 파괴는 피할 수 없는 운명과도 같은 것이다. 치열한 경쟁에서 살아남고 싶다면 소통이 원활한 조직을 만들어야 한다. 그러기 위해서 호칭제도를 파괴하고 상호 존중하는 수평적 조직문화를 만들어야 한다.

회사가 설립되고 20년 이상 된 회사라면 전통적인 직급체계 방식을 파괴하고 단일 호칭제 도입을 검토할 필요가 있다. 호칭제도는 중요한 동기부여 요인이다. 서열을 정하는 기능이 있기 때문이다. 조직 내 지위는 사회적 지위만큼 중요한 동기요인이다. 부장 밑에 차장, 차장 밑에 과장처럼 말이다. 호칭제도는 수직적 관계를 유지하기 위한 제도라 할 수 있다. 따라서 커뮤니케이션을 가로막는 장벽 중의 하나가 호칭제도이다. 사원에게 과장, 차장은 자신이 10년 후에나 달까 말까 하는 까마득한 직급이다. 한마디로 넘사벽이다. 같은 동아리에서는 자신보다 5살 많은 선배도, 10살 많은 누님도 친구처럼 편하다. 하고 싶은 말이 있으면 그냥 하면 된다. 그런데 회사에서는 기껏해야 자신보다 한두 살 많은 A 대리 앞에만 서면 기가 죽고 아무 말도 못 하게 된다. 그것은 회사가 선을 그어주면서 계층을 구분해주었기 때문이다. A 대리가 승승장구해서 언젠가는 자신의 생사여탈권을 쥐고 흔드는 상사가 될 수 있다는 시그널을 회사가 공식적으로 보여주기 때문이다.

회사가 공식적으로 인정해준 호칭제도는 효과적인 동기부여 수단이고 조직을 체계적으로 통제하는 기능도 가지고 있다.

그런데 모든 조직은 급속한 성장단계를 지나 언젠가는 성숙단계에 접어들게 된다. 장기 근속자들이 증가하고, 연공서열 중심의 보상체계를 가진 대다수 기업에서는 호칭 인플레가 발생하게 된다. 차장, 과장이 넘쳐나게 되고 모두가 뒷짐을 지고 다니게 된다. 오래된 회사일수록 피할 수 없는 부작용이다. 가물에 콩 나듯 사원, 대리가 보인다. 궂은일들은 모두 사원, 대리가 하게 되고 그들은 일할 맛이 나지 않는다. 전직을 결심하게 된다. 경영환경의 급속한 변화에 대응하기 위해 동적인 조직, 애자일을 지향하는 시대에 정적인 조직이 만들어지고 애자일을 지양하게 되는 것이다.

이런 상황에서 호칭파괴는 소통이 원활하고 기민하게 움직이는 애자일 조직으로 탈바꿈하게 하는 초석이 될 수 있다. 설문조사를 해보자. 역동적인 젊은 세대는 호칭파괴를 선호하지만, 안정을 지향하는 고연령대일수록 호칭파괴를 기피한다. 젊은 나이에 입사해서 필사적으로 쟁취한 호칭을 자신의 기득권이라 생각한다. 쉽게 내려놓을 수 없다.

호칭파괴는 쉽게 도입할 수 있는 단순한 HR 제도가 아니다. 지금까지 수십여 년간 유지해 온 수직적 조직문화를 수평적 조직문화로 탈바꿈시키는 거대한 작업이다. 조기에 안착시키지 못하면 회사 내에 자칫 큰 혼란을 초래할 수도 있는 인사제도이다. 큰 비용도 감당해야만 한다. 따라서 '고!(GO!: 시작)'사인이 나면 신속 과감하게 도입해야 하고 반드시 성공적으로 연착륙시켜야 하는 제도인 것이다.

아시아나 또한 호칭제도 폐지를 위해 여러 회사를 벤치마킹했다. '~님', '~매니저님'으로 호칭파괴를 시도했다가 실패한 회사가 의외로 많다.

기업이 호칭을 파괴하는 것이 한 단계 더 발전하기 위한 길이라는 의견에 반론의 여지가 없다. 그러다 보니 대기업들이 조금이라도 늦게 도입하면 큰일이라도 벌어질 것처럼 호들갑스럽게 앞다퉈 도입하고 널리 자랑했다. 그러나 성공적으로 안착시켰다는 후속 기사는 좀처럼 접하기 어렵다. 오히려 어정쩡한 상태로 호칭을 혼용하다가 슬그머니 과거로 회귀하는 회사들도 많다.

호칭파괴의 성공 요인과 실패 요인은 무엇일까? 성공 요인은 딱 하나였다. 직원들에게 체득된 지금까지의 익숙함을 얼마나 빨리 없 앨 수 있는가 하는 시간과의 싸움이었다. 시간이 길어질수록 여기 저기서 불평불만이 쏟아져 나온다. 곳곳에서 저항세력들이 나타난 다. 새로운 제도를 불편하고 형편없고 아무짝에도 쓸모없는 것으 로 매도한다. 본격적인 저항이 시작되면 회사가 시끄러워진다. 결 국, 포기하게 된다.

실패한 K 회사에서는 대표이사의 강한 의지가 없었다고 한다. 제 도도입을 승인한 그마저도 때론 '김 매니저'라고 불렀고 '김 과장'이 라고 불렀다. 호칭파괴가 좀처럼 안착하지 못하고 지지부진하다가, 상명하복과 서열문화를 강조하는 대표이사가 새로 부임하면서 결 국 과거로 회귀해 버렸다고 한다.

조기에 안착시킨 A 회사에서는 '~님'이라는 호칭을 사용하다가 실 수할 경우에 벌칙제도를 도입하게 했다. '~과장님'이라는 익숙함을 버리지 못한 실수 때문에 1만 원의 벌금이 징구된다면 긴장하지 않 겠는가? 점심을 굶어야 할 수도 있다. 벌칙제도는 익숙함을 빠르게 지워버릴 수 있는 매우 효과적인 통제수단이었다. 코로나 19로 마 스크를 제대로 쓰지 않으면 10만 원의 과태료가 부과되는 세상이 되었다. 마스크를 잃어버리고 꼼짝달싹 못할까봐 예비 마스크를 챙 기고 마스크를 거는 목줄까지 불티나게 팔리지 않았는가?

호칭을 파괴하는 것은 수평적 조직문화를 만들기 위한 첫걸음이다. 호칭만이 조직 내 서열을 암시하는 것이 아니다. 서열을 암시할 수 있는 것들은 하나도 빠짐없이 재빠르게 없애버려야 한다. 입사순서를 알 수 있는 '사번', 생일을 축하하도록 오픈한 '생년월일'은 나이를 알 수 있기에 '生年'이 보이지 않도록 조치해야 한다. 고참들이 자신들만의 전유물인 양 즐겨 입는 '예전 디자인의 근무복'은 착용을 금지해야 한다. 과거를 기념하고자 그대로 부착하는 '직급이 표기된 명찰'도 사용하지 못하도록 엄격히 금해야 한다.

그리고 대표이사부터 사원까지 모두가 상호존칭어를 사용토록 해야 한다. 말투에서도 서열이 느껴지기 때문이다. '매니저님'이라는 호칭을 사용토록 권장해도 선배는 후배에게 '매니저'라 부르고, 후배는 선배에게 '매니저님'이라며 '~님' 자를 붙여서 부르게 된다. 서열화 현상이 다시 나타나게 된다. 따라서 서열화를 억제하는 기능이 있는 상호존칭어 사용이 반드시 필요하다.

상대방이 나보다 직급이 낮으면 무시하기에 십상이다. 나보다 직급이 높으면 주눅이 들기 마련이다. 회의하다가 논쟁이 격해지면 갑자기 반말로 공격하는 꼰대들이 튀어나오고 회의결과가 꼰대들의 뜻대로 끝나버리는 불쾌한 경험이 있지 않은가?

물론 의도적인 반말투로 상대를 압박하여 자신의 뜻을 관철시키는 것도 효과적인 협상 스킬 중의 하나이다. 그러나 그렇게 도출된 결론은 상대방을 입막음한 것이지 상대방의 동의를 얻어낸 것은 아니다. 결국 충분한 의견수렴 없이, 수직적 조직문화의 폐단인 독재자들에 의해 일방적인 의사결정이 이루어진다. 그리고 독재자들만의 뜻이 반영된 의사결정으로 발생한 막대한 손실을 회사 전체가 감당해야 한다. 불량꼰대들은 말한다. "내가 책임져야 한다고? 왜? 회의해서 다 함께 결정한 일이잖아? 내가 결정한 거 아냐!" 후안무치하다.

괄괄한 성격의 OOO 부사장이 회의 중에 갑자기 존댓말을 사용하면 모두가 긴장하고 입을 다물어야만 했다. 자신의 의지와 다른 방향으로 흘러가는 것에 대해 불만스럽다는 시그널을 보낸 것이었다. 과격한 단어가 튀어나오는 걸 억누르기 위해 애써 존댓말을 사용한다는 것을 모두가 알고 있었다. 회의참석자들이 입을 다문다. 그리고 회의는 일사천리로 진행되고 OOO 부사장이 원하는 결말로 내달렸다.

강압적인 반말뿐만 아니라 부담스러운 존칭어, 말투의 변화도 소통을 방해하는 시그널이 될 수 있는 것이다. 따라서 회사 내에서 모든 직원 간에 상호 존칭어를 사용토록 하여 소통공간에서만큼은 상호 대등한 위치에서 자기주장을 펼칠 수 있도록 하는 것이 중요하다.

아시아나도 전체 직원 중 상당수가 과장 이상이 되는 호칭인플레가 발생하였고, 이를 해소하기 위해 호칭파괴를 시도하였으나 사내에서 반발에 부딪혔다. 자신들이 '과장, 차장'을 달기 위해 갖은 고생을 다 했는데 하루아침에 다 같이 '~님'으로 부르냐는 것이었다.

아시아나의 설문조사 결과는 호불호가 확연히 갈렸다. 고참은 반대, 신입은 찬성. 즉 위계질서를 강조하는 구세대는 호칭파괴를 자신의 기득권 포기로 인식하였고, 신세대 젊은 사원들은 직급으로 억누르는 선배들이 싫었던 것이다.

성과주의 연봉제, 승진포인트제와 수평적 조직문화를 구축하기 위한 호칭파괴는 하나의 패키지로 설계하여 한꺼번에 도입하는 것이 효율적이고 조기 연착륙할 확률도 높여 준다.

성과연봉제, 승진포인트제, 호칭파괴는 하나의 패키지로 설계하고 일시에 도입하는 게 바람직하다. 새로운 인사제도를 도입하고자 할 때 직원들은 막연한 거부감을 느끼기 마련이다. 회사가 무언가 복잡한 꼼수를 써서 자신들의 권리를 빼앗고 심지어는 노동력을 착취하려 한다고 오해하는 경우도 있다. 따라서 충분히 공감대를 형성할 수 있도록 설명회를 개최하여 새로운 인사제도의 장점을 적극적으로 홍보해야 한다. '각자 알아서 하겠지….' 이런 무책임한 생각은 하지 말자. 도처에서 꼰대들이 "나도 잘 몰라. 회사가 한다잖아~. 시끄럽게 하지 말고. 그냥 찬성해!" 소리치며 잡음을 만들어낼 수도 있다.

꼰대들에 대한 반발심으로 회사의 새로운 인사제도를 무조건 반대하는 직원들도 의외로 많다. 새로운 인사제도를 도입할 때 동의

절차를 진행해보면 직원들로부터 신뢰를 잃은 불량꼰대가 누구인지 확인할 수 있다. 평소에 부적절한 리더십으로 팀원들의 사기를 꺾어버린 꼰대들이 통솔하는 팀에서는 반대자가 유난히 많다. 팀원들이 회사의 제도변경에 불만을 품고 반대하고자 하는 것이 아니다. 반대이유를 들어보면 꼰대의 평가를 믿을 수가 없어서 자칫 불이익을 받을까 두려워 연봉제에 동의할 수 없다고 하는 경우도 있었다. 불량꼰대를 믿지 못하는 것이다. 불량꼰대를 교체하지 않는한 동의를 구할 수가 없게 된다.

취업규칙 변경 동의절차와 관련하여 유기명 투표방식을 권장한다.

근로조건의 변경에 따른 취업규칙을 변경하는 절차는 매우 투명하게 진행되어야만 한다. 아무리 좋은 제도라 할지라도 일부 직원들이 불이익한 변경이라 느낄만한 인사제도는 반드시 취업규칙의 불이익한 변경절차를 밟아야만 한다. 호봉제에서 연봉제로의 변경에 대해서 유불리를 따지기는 쉽지 않다. 그러나 관점에 따라서는 평가가 나쁜 소수의 직원은 기존 호봉제 대비 불리한 변경이라 주장할 수도 있다. 그러므로 가급적이면 근로조건의 불이익한 변경절차로 간주하고 그에 맞는 변경절차를 밟는 것이 안전하다. 즉 직원 과반수이상의 동의를 구하여 인사제도를 도입하는 것이다.

직원 과반수이상의 동의를 구하기 어렵다며 취업규칙 변경을 스스로 포기해버리는 회사도 많다. 직원들의 불신과 노동조합과의 대화가 부담스러워 회사가 일방적으로 연봉제를 도입하려는 경우도 있다. 그러나 유의해야 한다. 합법적으로 취업규칙 변경절차를 밟지 않은 근로조건 변경은 원천적으로 무효가 된다.

실무적으로 과반수이상의 동의를 구하는 것은 결코 어렵지 않다. 절대다수가 성과주의 연봉제도를 통해서 수혜를 받게 되기 때문이다. 충분히 설명하면 대다수의 직원들은 동의할 수밖에 없다. 미리부터 겁먹거나 부담스러워할 필요 없다.

과반수이상의 동의를 구하는 과정에서 중요한 점은 직원들이 자유롭게 선택을 하였는지 여부이다. 꼰대들이 의욕이 넘쳐 일부 직원에게 강압적으로 동의를 구한 게 드러나 원천 무효가 되는 경우도 있으므로 각별한 주의가 필요하다.

직원들의 동의 여부를 확인하는 방법으로는 향후에 발생할 수 있는 법적인 분쟁에 대비하고 투표를 조작했다는 잡음이 없도록 기명동의방식으로 진행하는 것이 좋다.

새롭게 회사를 설립하거나 자회사를 설립하는 경우에는 전사적으로 성과주의 보상체계 도입을 추천한다. 일부 단순 반복적인 업무에 대해서는 연봉제보다 파격적인 직무급제 도입도 고려해 봄 직

근로기준법 제94조(규칙의 작성, 변경 절차)

① 사용자는 취업규칙의 작성 또는 변경에 관하여 해당 사업 또는 사업장에 근로자의 과반수로 조직된 노동조합이 있는 경우에는 그 노동조합, 근로자의 과반수로 조직된 노동조합이 없는 경우에는 근로자의 과반수의 의견을 들어야 한다. 다만, 취업규칙을 근로자에게 불리하게 변경하는 경우에는 그 동의를 받아야 한다.

② 사용자는 제93조에 따라 취업규칙을 신고할 때에는 제1항의 의견을 적은 서면을 첨부하여야 한다.

하다.

아시아나 역시 성과주의 연봉제를 확대하고자 많은 노력을 기울였다. 그러나 일부 직원들에 대해서만 연봉제가 적용되고 있다. 그래도 새롭게 취항한 에어부산과 에어서울은 절대다수의 직원들이 연봉제를 시행하고 있다.

취업규칙 변경에 따른 노무적인 부담이 크게 우려된다면 취업규칙을 분리 운영하는 것도 대안이 될 수 있다.

만약 직원들의 불신이 크거나 노동조합의 반대로 과반수이상의 동의를 구하기 어렵다면 새로 입사하는 직원들만을 대상으로 연봉제를 시행하는 것도 가능하다. 새로운 취업규칙을 만들고 앞으로 입사할 직원들에게만 적용할 수 있다. 기존 직원들이 모두 퇴사하고 나면 새로운 취업규칙을 적용하는 직원들만 남게 된다. 어차피 기업을 한두 해 하다가 접을 일도 없지 않은가? 50년, 100년 동안 업계 1위의 자리를 굳히기 위해 밤낮으로 뛰고 있는 상황에서 굳이 조바심을 낼 필요가 없다.

일부 직원들부터 시작하여 성과주의 연봉제에 대한 직원들의 우호적인 시각이 늘어났을 때 취업규칙을 개정하는 것도 방법이다. 새로운 인사제도를 도입하는 데 시간이 필요하다면 기다리면 된다. 무조건 안 된다며 반대하는 것만큼 무책임하고 비생산적인 것은 없다. 바뀐 경영환경과 동떨어진 인사제도를 영원히 가져갈 수는 없다.

직무급제의 도입을 검토 중이라면 신중할 필요가 있다.
국내에서는 아직 뿌리내리지 못한 제도이다.
그보다는 연봉제 정착이 우선이다.

후계자 양성 프로그램(석세션 플랜)만큼 단골 메뉴로 거론되는 HR 이슈가 직무급제도 도입이다. 한마디로 역할에 따라 급여를 책정한다는 의미이다.

인사담당은 100만 원, 회계담당은 150만 원, 자금담당은 200만

원, 기획담당은 250만 원 이런 식으로 연봉을 책정한다. 그리고 책정한 연봉은 임금인상률만을 반영하게 된다.

한마디로 임금인상이 없다면 인사담당은 평생 100만 원의 연봉을 받게 된다는 의미이다. 그러다가 각고의 노력 끝에 회계담당으로 업무가 변경되면 150만 원을 받게 된다. 쉽게 말해서 아르바이트생을 구할 때 해야 할 업무를 공지하고 한 달에 얼마 주겠다고 구인광고를 내는 개념과 같다.

선진국에서는 직무급제가 이미 보편화되었다. 정해진 업무를 시키고 정해진 월급을 준다. 만약에 다른 업무를 개인의 동의 없이 시켰다면 곧바로 소송을 당하고 적절한 보상을 해줘야만 한다. 합리적인 계약방식이다.

그러나 우리나라에서는 직무급제 도입이 정착되지 않았다. 어찌 보면 연봉제도 직무급제의 하나로 볼 수 있다. 다만 연봉제에서는 개인의 역량과 경력, 성과 등을 종합적으로 고려하여 책정하므로 개별협상을 통한 직무급이라고 봐야 할 것이다. 연공서열을 중시하는 호봉제 문화, 동양적 사고방식이 뿌리 깊은 기업에서는 받아들이기 쉽지 않은 보상제도이다.

상상해 보라. 평생 동일한 업무가 부여되고 동일수준의 급여를 받는다면 이를 받아들일 준비가 되어 있는가?

동일한 스펙을 가지고 입사하여 나는 인사담당이 되어 평생 100만 원을 받게 되었는데 입사 동기는 회계담당이 되어 평생 150만 원을 받게 되었다. 당신이라면 받아들일 수 있겠는가?

 이론적으로는 이보다 더 합리적인 보상체계가 있을 수 없다. 그러나 급변하는 대외환경에 선제적으로 대응하고 치열한 경쟁에서 살아남기 위해 멀티 플레이어 인재를 확보해야 하는 고용시장에서 수용성은 너무나도 떨어진다. 일부 생산직 업무, 서비스담당 업무, 회계전표 심사 등 비핵심적이고 단순반복적인 업무에 대해서만 제한적으로 도입하는 것이 바람직하다. 그러나 이미 상당수의 기업에서는 경미한 업무에 대하여 무기계약직 형태로 운영하거나 아웃소싱하여 외주업체에 위탁을 맡겨버렸다.

 전사적으로 직무급제 도입을 검토하다 포기하는 이유 또한 매우 단순명료하다. 회사 내 모든 업무를 직무별로 나눈다. 단순한 일이다. 그리고 해당 직무별 가치를 산정한다. 그다지 어렵지 않은 일이다. 그리고 나서 열심히 설계한 제도를 공개한다. 그 과정에서 조직 내에서 갈등이 야기되기 시작한다. 상대적 박탈감으로 직원들의 공감대를 전혀 얻을 수 없다. 왜 우리 부서 업무가 B 부서 업무보다 가치가 낮아야만 하는가? 합의점에 도달할 수가 없다. 최종관문인 50% 이상의 직원들로부터 동의를 얻어내는 건 두말할 필요도 없다. 그렇다고 사장이 정해줄 수도 없다. 그 순간 상대적으로 낮은 가치를 부여받은 부서 직원들은 사장으로부터 버림받았다며 배신감을 토로할 것이다. 그리고 사장을 악질적인 꼰대로 치부하게 될 것이다. 그런 꼰대가 되기를 자처하는 사장은 없을 것이다. 결국, 직무에 대한 가치평가에 전사적인 공감대나 합의점을 도출해 낼 수가 없다. 가치를 정할 수 없으니 직무급제 도입은 불가능해진다. 도입을 포기하게 된다.

따라서 업무별 가치를 가지고 싸울 일이 없는 새롭게 설립한 회사에서 도입을 검토해볼 수 있는 보상체계이다. 그러나 과연 동일한 업무를 30여 년 동안 쭉 시킬 수 있겠는가? 회사 사정으로 150만 원을 주던 업무에서 100만 원 주던 업무로 직원을 보내야 하는 상황은 비일비재하다. 그때마다 직원들을 이해시킬 수 있겠는가?

핵심인재를 확보하기 위해 노력해라
인턴십 제도, 석세션 플랜, 공정한 인사권 확립
모두가 미래 경쟁력을 확보하기 위함이다

인턴십(계약직) 제도는 비용절감을 위한 제도가 아니다.
인재를 발굴하는 제도로 운영돼야 한다.

국내법상 계약직은 근로계약 기간으로 최대 2년을 초과할 수 없
다. 물론 전문직, 정년을 넘긴 고령자, 일정 수준 이상의 고연봉자
에 대해서는 2년 이상도 계약직으로 운영 가능하다.

그런데 일부 기업들은 인턴십(계약직) 제도를 인건비 절감목적으
로 운영하려고 한다. HR 적인 시각에서 보면 바람직한 것은 아니
다. 소위 말하는 노동력착취를 목적으로 한다는 사회적인 비난을
받기에 십상이다. 비정규직 차별이라는 시빗거리를 제공할 수도 있

다. 따라서 인턴십 제도는 비용절감 수단이 아니고 역량을 검증하는 수단으로 활용되어야만 한다.

인사의 큰 고민거리 중 하나가 회사가 원하는 인재만을 어떻게 콕콕 찍어서 채용하느냐는 것이다. 불량감자가 최대한 섞이지 않도록 해야만 한다. 이럴 때 활용할 수 있는 것이 인턴십(계약직) 제도이다. 인턴십으로 운영할 수 있는 2년은 검증하기에 충분한 기간이라 할 수 있다. 한국은 고용 유연성이 떨어진다. 비록 불량감자라 할지라도 일단 채용을 했다면 끝까지 함께 가야 하는 종신 고용의 개념이 강하다.

대기업은 취업선호도가 높고 지원자가 많아서 인턴십 제도를 적극적으로 활용할 수 있다. 수요가 넘쳐나다 보니 인턴십 동안 보상 수준을 정규직보다 상대적으로 낮게 운영하는 것도 가능하다. 물론 합리적인 차별이어야만 한다. 그러다 보니 인턴십을 활용해서 인건비를 절감할 수 있다는 짧은 생각을 하는 경우가 많다. 회사 내부에서 비용절감 방안으로 인턴십 확대를 외치는 경우가 대표적인 사례다. 이것은 인재만을 골라내겠다는 인턴십 제도를 잘못 해석한 것이다. 인건비 절감이 목적이라면 그냥 계약직으로 채용해서 2년 단위로 교체하면 그만이다. 정규직으로 채용해줄 것처럼 홍보하고 인턴십 프로그램으로 인재들을 붙잡아 놓는 것은 지양해야 한다. 막연한 기대감을 갖도록 을에게 희망 고문을 하는 것이다. 쩐 갑질이다. 마땅히 비난받아야 할 일이다.

중소기업은 상대적으로 취업선호도가 낮아 정규직 채용에도 애로가 있다 보니 인턴십 제도운영이 만만치 않다. 이를 해소하려면 지원자가 대기업 지원을 포기하는 것에 상응할만한 대가를 지불해야만 한다. 이들 회사 인턴십 제도에 지원할 수 있는 유인책이 필요하다. 인턴십 기간을 줄여야 할 수도 있다. 인턴십 기간 중 급여를 정규직과 동일하게, 어쩌면 더 많이 줘야 할 수도 있다.

운 좋게 인턴을 선발했다면 인턴십 동안 회사는 역량이 검증된 인턴들에게 비전을 제시해줘야만 한다. 앞으로 어떻게 보상받게 될지, 어떤 미래를 약속할 수 있는지 보여줘야만 한다. 힘들게 영입한 인재가 도망가지 않도록 말이다. 채용보다 더 중요한 일이 인재가 유출되지 않도록 하는 일이다. 인재들이 한번 모이기 시작하면 우수한 인턴들이 몰리기 마련이다. 시작이 어려울 뿐이다. '대기업에서 용의 꼬리로 살 것인가? 중소기업에서 뱀의 머리로 살 것인가?'를 고민하는 인재에게 '용의 머리'로 살 수도 있다는 점을 보여줘야만 한다. 인턴십 동안 비전을 제시하고 상호 간에 궁합을 맞춰야 하는 것이다.

많은 중소기업이 인재를 붙잡기 위해서는 충분한 보상을 해줘야 한다는 경제적 기본논리에 망설이는 경우가 많다. 기존 직원들의 상대적 박탈감을 회사가 감당할 수 없다고 변명한다. 이럴 때는 그냥 중소기업으로 쭉 살면 된다. 그러다가 어느 순간 회사 문을 닫으면 된다.

검증도 안 된 인턴에게 여느 직원들과 달리 상대적으로 많은 보상을 제시하려니 아깝고 두려울 것이다. 재수 없이 불량감자가 걸리면? 망설일 것이다. 그래서 리스크를 줄이기 위해 인턴십을 활용하는 것이다. 불량감자도 한번 채용하고 나면 끝까지 함께 해야 하는 세상이다. 조금 더 비용이 들더라도 확실하게 검증하는 것이 오히려 리스크 관리가 되고 기회비용을 줄이는 방법이다.

변호사, 회계사, 의사 등 전문직만 회사 내에서 고액의 연봉을 받는 것이 아니다. 인재는 고액의 연봉을 받기 위해 유치원 때부터 치열하게 스펙을 쌓아 올린 것이다. 꼰대세대와 달리 그들은 하나같이 해외유학도 다녀와서 외국어도 능통하다. 실무경험을 가지고 MBA도 다녀왔다. 스펙을 쌓기 위해 투자한 시간과 비용을 가치로 환산해 보자. 그들에게 일단 일을 맡겨보라. 신세계가 열릴 것이다. 큰 공을 세워 포상할 때마다 나오는 말이 있다.

"새로 입사한 저 친구가 기존의 규정을 달리 해석하고 관청의 허가를 받아내서 비용을 매년 50억 원씩이나 줄이게 됐다며? 대단하네~"

"그러게. 역시 우리랑 다르네. 그런데 그 일을 해왔던 담당자들은 지금까지 뭐 했대? 징계해야 하는 거 아냐?" 안 한 게 아니고 못한 것이다. 기존의 담당자들에게는 관청을 설득하기 위한 자료를 수집

하기 위해 해외 사례를 검토할 능력도 의지도 없었던 것이다. 그런 방법이 다른 세상에는 있는지도 몰랐기 때문이다.

지금껏 회사를 운영하면서 인재가 얼마나 회사의 발전에 크게 공헌했는지 경험하지 못했기 때문일 것이다. 분명한 것은 회사가 인재에게 투자한 것보다 몇 배, 몇십 배 많은 성과물로 돌려받게 될 거라는 사실이다. 물론 힘들게 영입한 인재가 기대 이상의 성과물을 내놓지 못하는 경우도 있다. 그럴 때는 조심스럽게 살펴보자. 시기심과 상대적 박탈감으로 똘똘 뭉친 기존의 직원들에게 왕따를 당하고 있을 수도 있다.

중견기업 대표인 후배가 이런 고민을 털어놓은 적이 있다.

"우리 회사가 대기업과 비교가 안 되는 규모지만 업계에서는 경쟁력이 있는 탄탄한 회사입니다. 대기업처럼 앞으로 회사를 이끌어가야 할 핵심인력들이 필요합니다. 그런데 아무리 노력해도 인재라 할 만한 지원자가 없습니다. 다행히도 얼마 전에 어렵게 뽑은 직원 하나가 스펙도 좋고 마음에 들어서 제가 직접 챙기고 있습니다."

나는 걱정이 돼서 이렇게 답했다.

"훌륭한 직원이라고 판단되면 가만히 둬라. 잘하는 직원은 가만히 내버려 둬도 잘한다. 대표이사가 직접 챙긴다는 걸 다른 직원들이 알게 되면 그 직원은 조만간 회사를 떠나게 될 것이다. 회사 내 직원들 모두가 OOO 대표에게 인정받고 싶어 한다. 새내기 직원이지만 경쟁 상대로 생각하고, 질투심이 발동해서 절대로 새내기 그 친구를 동료로 생각하지 않을 것이다. 결국, 견디지 못하고 조만간 회사를 떠나게 될 것이다."

"제가 챙겨줘야 할 것 같아서요. 그래야 그 친구도 자부심도 생기고 다른 직원들도 많이 도와줄 것 같아서요."

"스펙에 맞게 연봉을 많이 줘야 하고 그러면 다른 직원들이 위화감을 느낄 텐데…. 그렇다면 보상은 공개적으로 하는 게 좋겠다. 숨기려고 해봤자 급여담당자가 소문내게 돼 있다. 그러면 기존 직원들이 반발할 것이다. 그 친구가 가지고 있는 스펙을 보상에 연결해서 공개적으로 보상해라. 그래야만 직원들이 이해할 것이다." 그리고 몇 마디 말을 덧붙였다.

"그런데 화려한 스펙이 훌륭한 관리자를 담보하는 것 같지는 않더라. 내로라하는 학벌을 가지고도 빌빌거리는 직원들도 여럿 봤다. 그저 그런 대학 출신이지만 탁월한 성과를 내는 직원들도 많이 봤다. 내성적인 직원이었는데 등 떠밀려 영업을 하다 보니 현장에서 이런 고문관이 없다며 불량감자 취급을 당한 직원이 있었다. 사무실에 앉혀 놓으니 데이터를 수집하고, 수요특성을 분석해서 영업맨들에게 엄청난 정보를 피드백해주는 인재로 돌변하더라. 회사 내에는 관리자로 양성할 인재도 필요하지만, 관리자를 서포트할 인재도 필요하다.

회사가 해야 할 일은 개인의 역량으로 최대의 성과를 창출해낼 수 있는 업무를 찾아내고 맡겨서 성과를 낼 수 있도록 하는 것이다. 스펙이 좋은 직원을 채용하는 것도 중요하지만 스펙에 맞는 역할을 부여하는 것이 더 중요하다. 일은 잘하는 데 영어를 못하면 영어를 배우도록 동기부여하면 된다. 학원비를 대주고 학원 갈 시간을 만들어주고 어학 수당까지 챙겨주면 열심히 배우게 된다. 월급은 얼마 주지도 않으면서 처음부터 영어도 잘하고 일도 잘하는 직원을 채용하려는 것은 욕심이다. 특히 인턴십에 참여를 기피하는 중소기업이라면 더더욱 그렇다."

핵심인재 양성 프로그램은 잘 운영할 자신이 없으면 애초에 시도하지도 말고 그냥 지켜만 보라. 잘하고 있는 직원, 미래에 당신들을 먹여 살릴 직원을 망가뜨리는 실수를 저지를 수도 있다.

많은 기업체가 사내 핵심 포스트에 필요한 인재를 양성하겠다며 후보군 양성을 위한 석세션 플랜(Succession Plan: 후계자 양성 프로그램)을 설계한다. 최고 경영층이 가장 고민하는 것 중에 하나가 자신보다 더 나은 후계자를 양성하여 승계하는 일이다. 제아무리 부자라도 3대를 가지 못한다는 말이 그냥 나왔겠는가? 3대를 넘어서 100년 이상 영속하는 기업을 만들고 싶을 것이다. 위대한 기업을 만들어 보겠다며 전 세계 경영자들이 한때 유행처럼 읽었던 'Good to great(짐 콜린스 著)'에서 위대한 기업으로 칭찬했던 회사들이 불과 몇 년 만에 쇠락의 길로 들어섰다. 짐 콜린스는 자신의 분석이 실패했음에 엄청나게 당황했을 것이다. 1대 창업자의 성공을 2대, 3대 후계자가 제대로 이어가지 못했기 때문에 벌어진 일이 아니겠는가? 엄청난 시간과 비용을 투입해서 경영능력을 검증하고 후계자로 앉혔음에도 벌어진 일들이다.

내가 회사 내에서 접해본 인재들은 앞서 이야기한 리더십처럼 어느 정도 이미 완성돼 있었다. 직급과 상관없었다. 앞으로 계발하고 만들어 가는 것이 아니었다. 탁월한 감각과 커뮤니케이션 능력, 상황판단능력과 리더십 등 모든 역량이 갖춰져 있었다. 그들은 신입사원 때부터 남다르다. 무슨 일을 맡겨도 잘해낸다. 실패를 두려워하거나 도전에 주저하지 않는다. 주인의식과 솔선수범으로 똘똘 뭉쳐있다. 가만히 두더라도 조직에 필요한 리더로 자연스럽게 성장하게 되어 있다.

그런데 회사는 외부에 자신들은 거창한 후보자 양성 프로그램을 개발했고 가지고 있다며 자랑하고 싶어 한다. '훌륭한 인재들을 발굴해서 회사가 알아서 키워주겠다.'는 생각을 한다. 해외 유명 대학

교의 졸업 시즌이 되면 직접 해외로 나가서 앞다퉈 인재영입을 하겠다며 부산하게 움직인다. 사내에서 에이스 직원들을 선발하여 앞으로 회사를 이끌고 갈 핵심인재라며 전사적으로 홍보하고 해외 MBA를 보낸다. 우리 회사에는 후계자 양성 프로그램이 잘 만들어져 있으니 인재들은 많이 지원해달라고 애걸을 한다.

그러나 한 번쯤 생각해봐야 할 일이다. 과연 인재가 얼마나 살아남아서 10년, 20년 후에 회사가 계획한 대로 슈퍼 에이스가 될 수 있을지 말이다. 자신들이 인재라며 뽑은 이들이 진짜 인재인지 확인해 본 경영층이 과연 얼마나 존재할까? 그들이 성장하기도 전에 이미 퇴임해서 집에서 손주를 보고 있을 텐데 말이다. 금호아시아나 그룹도 30여 년 전부터 차세대 리더를 양성한다며 그룹사에서 직원들을 선발해서 해외 MBA를 보내고 핵심인재라 칭하고 널리 홍보했다. 그러나 유감스럽게도 그렇게 선발된 직원 중 회사에 살아남아 회사의 바람대로 핵심 포스트를 떠맡은 사례는 매우 드물었다. 요란한 빈 수레에 불과했다. 해외 MBA를 보낸 인재의 상당수가 이탈하였다. 차라리 가만히 지켜보면서 부족한 부분만을 조금씩 채워주고 이탈하지 않도록 관리했다면 어떠했을까?

왜 이런 일이 벌어졌을까?

우리 옛말에 '사돈이 땅을 사면 배가 아프다.' 라는 말이 있다. 부끄럽게도 이런 말은 전 세계 어느 나라에도 없다고 한다. 외국인들은 이 말을 이해하지 못한다고 한다. 공감능력이 떨어져서가 아니다. "축하할 일이지 왜 배가 아플 일이냐?" 라며 반문한다고 한다. 하지만 한국인들은 이 말을 들으면 "맞아! 맞아!"하면서 낄낄댄다.

회사 내에서 석세션 플랜 후보자로 선발되어 공개되는 순간 그들은 질투의 대상이 대고 경계해야 할 경쟁의 대상이 돼버리는 것이다. 결국, 홀로 고군분투하다 번아웃되어 자포자기 심정으로 회사를 등지게 되는 것이다.

나 역시 비슷한 경험을 했다. 오랜 기간 인사업무를 하다 보니 변화가 필요했다. 윗사람을 겨우 설득해서 어렵사리 영업현장으로 자리를 옮겼다. 그런데 얼마 지나지 않아 회사가 석세션 플랜을 만들었는데 나를 포함한 십 수 명이 그 대상으로 선발되었다는 것이다. 물론 회사도 이 프로그램이 후보군에게 오히려 독이 될 수 있기에 각별한 보안이 유지되어야 한다는 사실을 잘 알고 있었다. 비밀리에 선발하고 비밀리에 모아 놓고 각별한 보안 속에서 프로그램을 시작하려 했다. 후보군이 근무하는 직속 임원들로 하여금 정기적으로 코칭도 하도록 지침도 있었고, 원하는 교육이 있으면 회사가 전격적으로 지원해주겠다는 약속도 하였다.

그런데 후보군 명단에 관한 비밀유지는 오래가지 못했다. 회사가 비밀리에 소집한 최초 간담회 다음날 사내 모든 직원의 입에 오르내렸다. "우리 지점에서 신 차장과 OOO 차장이 석세션 플랜 후보로 선정되었대. 대충 영업하다가 해외지점장으로 나가겠네? 절대 비밀이라며? 저 사람들은 복도 많네. 전생에 회사를 구했나?" 몰래

도둑질하다가 들킨 것처럼 참으로 민망했다.

영업에서 8개월가량 지나고 인사평가가 끝나가는 가을 무렵이었다. 제법 쌀쌀해진 날씨였다. 따끈한 국물에 소주를 마시다 취기가 오른 OOO 팀장이 그러는 거다.

"신 차장, 오해하지 마. 자기가 성과를 못 내서 그런 게 절대 아니고, 올해 진급시키려면 인사평가 잘 줘야 하는 애들 있잖아? 걔들 때문에 신 차장 인사평가를 좀 짧었다. 자기는 그 뭐더라? 석세션 플랜인가 뭔가 하는 거 대상자라며? 회사가 알아서 키워준다며? 그래서 인사평가가 필요 없을 것 같아서 다른 애들 밀어줬다."

"팀장님, 잘하셨어요. 하하." 라는 말밖에 할 수 없었고 그해에 받은 인사평가는 역대급 점수였다. 그때 알았다. '사돈이 땅을 사면 배가 아프다.'는 말이 어떤 의미인지 말이다. '잘난 놈, 굳이 안 챙겨도 혼자서 잘 클 것이다.'

회사에 직원을 출세시켜주는 멋진 석세션 플랜을 가지고 있다고 홍보하면서 이런 고민 없이 운영하는 프로그램이 있다면 즉시 폐기처분을 하여야 한다. 그보다는 인재를 발굴한 후에 부족한 경력을 채워줄 수 있도록 적절히 업무순환을 시켜주고 이탈하지 않도록 하는 리텐션 플랜(Retention Plan: 인재가 이탈하지 않도록 유지하는 전략)이 더 중요하다. 인재는 불량꼰대들이 절대로 놔주지 않는다. 그래서 경력개발이 쉽지가 않다. 시간이 흐르면서 번아웃 되기 십상이다.

그러나 인사경험이 없는 윗분들은 새로 부임할 때마다 자신들의 치적으로 포장할만한 거창한 HR 제도가 필요할 것이고 석세션 플랜은 단골 메뉴 중 하나가 될 것이다.

인재는 양성하는 것보다 회사가 먼저 그들을 발굴해 내고 보호하는 것이 더욱더 중요하다. 인재는 무슨 일을 맡겨도 잘한다. 스스로 목표를 정하고 스스로 동기부여하고 스스로 목표를 향해 달려간다. 자신에게 부족한 역량은 스스로 채워 나간다. 그런데 그들 주변에는 불량꼰대들이 있다. 그리고 그들에 의해서 번아웃 돼버리는 경우가 종종 발생한다. 가혹할 정도로 혹사를 시키면서 꿀을 빨아대는 것이다. 결국, 지쳐서 쓰러진다. 그래서 그들이 쓰러지지 않도록 잘 지켜봐 줘야만 하는 것이다. 그저 쓰러지지 않도록 지켜봐 주기만 하면 된다. 그런데 대다수 회사에서는 그들을 지켜보는 게 아니고 채찍질을 해댄다. 엄청난 돈을 들여서 MBA를 보내줬으니 빨리 밥값을 하라고 한다. 도망가지 못하도록 장기간 의무복무 기간을 채워야 하는 노예계약을 하고 번아웃시키는 것이다.

"신 차장은 좋았겠어? 2년 동안 회사 돈으로 놀면서 공부했잖아? 우리는 그동안 얼마나 힘들었는지 알아? 앞으로 회사를 위해서 큰

일 해야지!"

충성도 높은 인재는 조직이 버릴 때까지 가만히 둬도 도망가지 않는다. 그들이 좋아하고 꿈꿔온 회사였기에 선택한 것이다. 그들은 어디서 무슨 일을 하더라도 남들보다 더 잘할 수 있다는 자신감이 있다. 굳이 애써서 도망가려고 하지도 않는다. 의무복무 기간만 채우고 도망가는 직원은 애초에 선발에 문제가 있었다. 불량꼰대를 만나서 지쳐서 도망간 경우도 많다. 도망간 당사자가 문제가 아니고 그런 직원을 추천하고 선발한 사람들이 책임져야 한다. 인재를 퇴출시킨 불량꼰대가 책임져야 하는 것이다.

석세션 플랜 운운하는 인사라인이 있다면 하루빨리 갈아치워야 한다. 그들은 자신을 어필하기 위해 인재들을 유출시키는 프로그램을 설계하고 있는 것이다.

인사권은 공정하게 행사되어야만 한다.
인사권이 훼손되면 법적인 책임 문제가 따르게 되어 있다.

인사권은 남용하지만 않는다면 상당한 수준에서 그 재량권이 회사에 인정된다. 인사업무를 하다 보면 예상치 못한 다양한 사례가 여기저기서 터져 나온다. 그럴 때마다 시의적절하게 적법하게 의사결정을 내려야만 한다. 잘못된 선례는 두고두고 회사를 짓누르게 된다. 인사권을 행사한다는 것은 보이지 않는 위험이 내포된 어려운 의사결정의 연속이다.

복잡하고 어려운 의사결정을 내려야 할 때마다 "오래된 회사에, 이렇게 큰 회사에, 인사와 관련한 제대로 된 규정집 하나 없다." 라며 한심하다는 눈빛으로 쳐다보고 짜증을 내는 경영층도 있다. 인사업무의 특성을 잘 몰라서 그러는 것이다. 인사권은 합법적인 테두리 내에서만 보호받을 수 있고 행사할 수 있는 권리다. 법이라는 것이 일어날 수 있는 모든 상황을 가정해서 제정된다면 법을 집행하는 일이 얼마나 쉽겠는가? 유감스럽게도 그렇지 못하니 법을 전문으로 연구하는 법조인들에게 판단을 맡기고 있는 것이다. 그들도 잘 모르니 열심히 판례를 뒤지고 유권해석을 하면서 고심하게 되는 것이다. 인사업무가 그러하다.

인사권자들은 고민되어 망설여지는 결재문서에 사인할 때마다 스스로를 세뇌시키며 자위한다. '내가 인사권자인데 내 마음대로 해도 되는 거 아닌가? 이렇게 한다고 인사권을 남용한다고 할 수 있겠어?' 라며 인사권을 남용하고 결국에는 인사권을 훼손한다. 전례를 들어 반대하는 인사를 향해 "당신들은 관성의 법칙과 과거에 사로잡힌 관료주의 집단과 다름없다." 라며 전례를 뒤집어 자신의 뜻을 관철시킨다.

흔하게 범하는 인사권 남용사례는 징계 처분 시 발생한다. 유사한 사규 위반 행위로 처분을 내린 전례를 무시하고 자신과 이해관계가 얽힌 징계처분 대상자에게는 관용을, 이해관계가 무관할 때는 기강을 바로잡는다며 가혹한 처분을 내린다. 그리고 회사는 노동위원회로부터 유사 사례가 있음에도 불구하고 공정성을 훼손한 징계처분으로 인사권을 남용하였다는 시정명령을 받게 되는 것이다.

인사권은 직원 개개인에게 직접 영향을 미치기 때문에 모두의 관심사가 될 수밖에 없다. 따라서 엄정하게 행사되어야만 직원들이 회사를 믿고 따르게 된다. 인사권 훼손은 직원들의 신뢰를 잃어버리는 행위이다. 그래서 인사권을 행사하고 권한남용을 다투는 소송이 발생하면 반드시 이겨야만 하는 것이다. 패소할 경우에는 대표이사가 엄중하게 처벌을 받아야 하고 그로 인해 회사의 명예가 실추되더라도 할 말이 없는 것이다.

HR 제도의 성공을 위해서는 직원들이 HR 조직을 신뢰하도록 만들어야만 한다. HR 업무는 고도의 전문성과 사명감이 필요하다. 따라서 HR 조직은 인재들로 꾸려야 한다.

HR 업무는 비전문가가 할 수 있는 영역이 아니다. 전문 지식과 회사에서 발생한 다양한 사례를 해결하면서 축적한 풍부한 경험이 있어야만 할 수 있는 업무다. 1, 2년 배운다고 될 일이 아니다. 끊임없이 사고하고 대안을 찾기 위해 다양한 시각에서 접근할 줄 알아야 한다. 휘둘리지 않는 소신도 필요하다. 복잡한 상황 속에서도 심플하게 팩트를 찾아낼 줄 알아야 한다. 아집에 사로잡힌 직원을 설득할 수 있는 호소력과 커뮤니케이션 역량도 필요하다. 게다가 회사에 대한 남다른 로열티도 필요하다. 회사 내에서 이런 직원 찾아내거나 양성하는 일은 쉽지가 않다. 그래도 꾸준히 발굴해내야만 한다.

HR 업무를 너무 과대 포장한다고 생각하는 이도 있을 것이다. 이런 생각은 잘못된 것이다. HR 업무는 사람과 관련된 일이다. 개인마다 처한 상황이 다르다 보니 어디로 튈지 방향성을 도무지 알 수가 없다. 그런데도 올바른 방향으로 끌고 가야만 한다. 사건의 본질을 파악하지 못하고 여기저기 삽질만 해대다가 일이 일파만파 커지는 경우도 허다하다. 그만큼 복잡하고 어려운 일이다.

그렇다고 HR 담당자 중 오만하거나 자만하는 자가 있다면 방치해서는 안 된다. HR 제도를 망가뜨리는 원인이 된다. 사명감이 없는 직원 역시 배제해야만 한다. 이런 이들은 갈등하다가 적당히 현실과 타협하기 십상이다. 그로 인해 HR 조직뿐만 아니라 회사마저도 직원들의 신뢰를 잃게 된다.

많은 직원이 HR 조직에 대하여 '회사 눈치만 보는 조직', '슈퍼 갑'이라 생각한다. 그리고 불신하는 이들도 많다. HR 조직이 그렇지 않다는 것을 직원들에게 증명해 보일 수밖에 없다. 항상 겸손하고 진지하고 모범적인 행동을 하도록 HR 조직을 적절히 통제해야만 한다. 회사의 사규를 만드는 조직이니 누구보다도 철저히 준수하도록 해야만 한다. 솔선수범을 보이도록 관리해야만 하는 조직이다. HR 조직은 항상 직원들과 신뢰관계를 형성하고 원만한 관계를 유지하도록 통제해야 한다. 그래야만 개선하고자 하는 방향으로 HR 제도를 도입하고 성공적으로 안착시킬 수 있다.

인사라인을 신뢰하지 않다 보니 인사라인에는 인사경력이 전무한 불량꼰대들을 앉히는 경우가 많다. 그들은 회사 생활하면서 인사라인과는 왠지 모르게 불편한 경험을 가지고 있다. 인사가 갑이고 자신이 을이었다는 느낌을 지울 수가 없다. 자신이 경험했던 인사에 대한 불편한 잠재의식 속에서 '인사개혁'이라는 단어를 끄집어 내기도 한다. '그깟 인사가 뭐라고…. 봐라! 아무나 할 수 있다!' 어차피 자신들이 저지른 인사 참사는 그 후유증이 4, 5년 후에 나타나기 때문에 알 수가 없다. 조직문화가 망가지고 직원들이 상처를 받지만, 그때쯤에는 이미 퇴직해서 회사와 인연을 끊은 상태다. 그러다 보니 '내가 해봐서 아는데 인사라는 거 별거 없어.' 라는 말이 절로 나오는 것이다.

그렇게 HR 제도가 망가지는 것이다.

회사에 위기가 닥치면 직원들을 설득하고 끌고 가야만 하는 조직이다. 삼삼오오 모이면 회사와 불량꼰대를 안주 삼는 게 대다수의 직원이지만 그래도 꿋꿋이 회사 편을 들어야만 하는 게 HR 조직의 역할이다. 언제나 주인의식을 가지고 회사를 위해 대변인이 되기를 자청하도록 해야만 한다. HR 담당자가 정당하게 받은 보상마저도 특권으로 치부하고 싶은 게 회사 내 대다수 직원의 심리다. HR 업무는 이타심과 사명감으로 하는 업무라는 것을 직원들에게 인식시킬 필요가 있는 부분이다. 멋진 HR 제도를 안착시켜 회사와 직원들의 성공과 행복을 서포트하는 것이 HR 조직의 역할이다.

2. 슬기로운 주재원 생활에 관하여

벙어리 3년은 못하더라도 6개월은 해보라
시집살이보다 어려운 게 부임해서 6개월이다

   글로벌 마켓에 진출할 때 가장 중요한 성공 요인 중에 하나가 올바른 인재를 선발해서 주재원으로 파견하는 것이다. 회사 내에서 슈퍼 에이스를 엄선해서 파견을 보낸다. 그런데 많은 주재원이 현지에서 제대로 된 성과를 보여주지 못하는 경우가 발생한다. 심지어는 주재원의 일탈행위로 막대한 손실을 감수하고 철수해야 하는 일도 벌어진다.

   아시아나는 전 세계 30여 개 국가에 70여 개 지점을 개설하고 주재원들을 파견하고 있다. 수많은 HR 이슈들이 있었고 상당수가 주재원들에게서 기인한 문제들이었다. 재발방지를 위해 주재원들의 해외부임교육에서 내가 그들에게 들려준 이야기를 정리해 보았다. 동의할 수도, 동의하기 싫을 수도 있다. 어디까지나 내가 경험한 사례를 중심으로 정리한 내용이니 필요한 내용이 있다면 참고했으면 한다.

부임 후 최소 6개월은 '아닥'하고 현지직원들이 하는 대로 지켜보자.

최소 6개월간은 '아닥(입다물라)'하고 지켜만 보자. 특히 선진국으로 부임하는 주재원들은 각별히 조심하자. 그들의 문화는 당신이 지금껏 경험한 문화와는 완전히 다르다. 주변에서 '사람 사는 세상은 거기서 거기다. 똑같다.'라고 떠들어대지만, 생김새만 비슷할 뿐뇌 구조는 완전히 다르다.

본사에서 파견된 주재원이라는 신분만 믿고 어설프게 까불다가 큰코다치게 된다. 그들 나름대로 업무처리 방식이 있고 우리가 존중해줘야 할 문화가 있다. 특히 선진국에서 한국식으로 행동하다가 파워 해러스먼트(Power Harassment: 직장 내 괴롭힘), 섹슈얼 해러스먼트(Sexual Harassment: 직장 내 성희롱)로 고소당하는 경우가 비일비재하다. 술을 너무 많이 마셔서 그만 실수했다는 말은 절대로 통하지 않는다. 애초에 그들은 실수할 정도로 술 마시는 법을 모르는 사람들이다.

왜 그랬냐고 물어보면 답답한 답변만 돌아온다. 본인이 왜 고소당했는지도 모르고 무조건 억울하다고만 한다. 현지에서 태어나서 한국말을 못하는 교포 3세가 한국인인가? 한국기업에 입사했으니 한국말만 사용하라니 말이 되는가? 교포 3세는커녕, 교포 2세도 한국말을 배울 기회가 전혀 없는 곳에서 성장한 교포들이 태반인데도 말이다.

차별로 고소당한 OOO 차장의 평계가 궁색하다. "한국기업이니 한국어를 할 줄 알아야 승진도 하고 출세할 수 있을 것 같아서 동기부여 차원에서 그랬다." 수습하기 위해 회사가 돈으로 때웠다. 막대한 회사손해를 입혔으니 중징계 처분을 내려도 성에 차지 않을 사고를 친 것이다. "유 아 파이어드! (You are fired!: 너는 해고다!)" 그들의 상식선에서는 해고처분을 당해야 할 지점장이 멀쩡히 살아있다. 현지직원들에게는 이미 리더십을 상실한 불량꼰대로 보일 뿐이다. 결국, 회사의 인사권마저 훼손돼버린 것이다.

어제저녁에 뭐했냐고 묻지도 말고 궁금해하지도 말자. 그건 가까이 다가가기 위한 친근함이 아니고 사생활을 엿보는 불쾌한 행위다. 특히 여직원들에게 조심하자. 그들이 먼저 말을 꺼내면 그냥 들어주기만 하면 된다. '그래서?' 라는 말까지 할 필요는 없다.

개인사는 혼자서 해결하자.
꼭 직원의 도움이 필요하면 정중하게 양해를 구하자.

가족과 관련된 일은 스스로 해결하자. 절대로 사적인 부탁은 하지

마라. 그들은 주재원들의 집사가 아니다. 무엇보다도 사적인 부탁을 하는 순간 이미 당신은 그들에게 약점을 보이는 것이다. 낯선 해외 생활로 부임 초기에 많이 저지르는 실수다. 요즘은 N 검색사이트에 검색하면 다 나온다. 언어적인 문제 등으로 어쩔 수 없이 사적인 부탁을 해야 하는 경우에는 불가피한 상황임을 설명하고 정중히 양해를 구하자. 그들도 사람 사는 세상 속에 있으므로 이해하고 최대한 도와주려고 노력한다.

부인이 아프다는 핑계로 자식을 픽업에서 집까지 데려다 달라고 부탁을 한다. 언어소통에 문제가 있다며 아픈 애를 병원에 데려가 달라고 하기도 한다. 미안한 마음에 회사에 복귀할 필요 없으니 곧바로 퇴근하라고 선심 쓰듯 말할 때도 있다. 당신은 이미 주재원의 자격을 상실한 것이다. 사적인 일에 직원을 부리고 심지어는 당신 멋대로 근무시간을 줄여주는 권한남용까지 하는 것이다. 현지직원은 당신의 권한남용을 절대로 고마워하지 않는다. 오히려 분노한다. 업무시간에 사적인 심부름도 모자라 그러잖아도 빠듯한 자신의 근무시간까지 빼앗아간 악질꾼대라고 생각한다. 다음 날 자신에게 잔업이 기다리고 있다는 것은 불을 보듯 뻔하다. 당신만 다음 날도 룰루랄라 휘파람을 불며 어김없이 칼퇴근하는 것이다. 미안해할 일을 부하 직원에게 절대로 시켜서는 안 된다. 어쩔 수 없는 경우라면 정중히 양해를 구하고 진심으로 고마워해야 한다. 사적인 심부름은 나중에 다 부메랑이 되어 당신의 목을 조르게 된다.

회사비용은 투명하게 집행해야만 한다.

현지 지점을 운영하기 위해서는 큰 비용을 관리하게 된다. 자칫 유혹에 빠지면 주머닛돈이 쌈짓돈이 될 수가 있다. 욕심은 화를 부른다. 회사비용은 투명하게 사용해야만 한다. 현지직원들은 말을 안 할 뿐 당신의 일거수일투족을 지켜보고 정보를 공유하는 경우도 있다. 당신이 회사비용으로 정산하기 위해 제출하는 영수증을 보면 당신의 회사 밖의 생활을 엿볼 수가 있다. 주로 애용하는 식당, 술집, 노래방, 골프장 등등. 주말에는 주로 어디에서 무엇을 하는지도 다 알 수 있다. 당신은 몇 년 지내다가 떠나갈 뜨내기이고, 그들은 자신들끼리 뭉쳐야 한다고 생각한다. 종종 아무 잘못 없는 현지 직원들을 내보내려는 악질꼰대들을 보면서, 언젠가는 자신들도 겪게 될 수 있다는 불안감을 가지고 있다. 불편한 진실이다. 그들은 피해자인데 가해자 취급을 받는다.

어떤 직원들은 자신을 보호하기 위해 악질꼰대를 한 방에 날려버릴 수 있는 히든카드가 필요하다며 채증하기도 한다. 모두가 다 한심한 전임자들이 만들어낸 폐단이다. 주재원이 회사비용을 오용하거나 횡령했음을 증명할 수 있는 영수증이라면 더할 나위 없이 좋은 무기라 생각한다. 다른 건 몰라도 횡령만큼은 용서하지 않는 것이 전 세계 모든 회사의 공통점이기 때문이다.

상당수의 악질꼰대들이 직원들과의 갈등으로 투서를 당하게 된다. 가장 많은 내용이 회사비용을 오용하거나 횡령했다는 내용이다. 회사는 조기소환을 준비할 수밖에 없고 삽시간에 전 세계 모든 지점으로 퍼지게 되어 있다. 안타깝고 유감스러운 일이다.

조기소환을 당하면 주재원에게 가장 큰 특혜라 할 수 있는 자녀의 특례입학자격도 사라진다. 화목했던 가정은 엉망진창이 될 수밖에 없다. 각별히 유의해야만 한다.

엄친아, 엄친딸 처럼 바른 생활을 해라
최소한 회사 얼굴에 먹칠하지는 말자

주재원은 '바른 생활 사나이'이다.

회사를 대표하는 모범생의 모습을 보여주자.

'바른 생활 사나이'가 되도록 하자. 여성 주재원도 마찬가지다. 바른 생활을 하는 모범적인 주재원의 모습을 보여주도록 항상 노력하자. 여러분은 회사가 엄선해서 보낸 회사의 엘리트다. 따라서 회사의 얼굴이다.

평생 없던 종교도 생기는 때가 해외생활이다. 신앙심이 없어도 종교시설을 기웃거리게 된다. 해외에서 한인들의 종교시설은 신앙생활만을 위한 것이 아니다. 타국에서 외로움을 서로 달래기 위하여

한인들끼리 교류하는 커뮤니티 공간이다. 신앙심과는 별개의 문제이다.

당신은 피곤하다며 집에서 쉬고 있지만, 부인과 아이들은 커뮤니티 공간에서 활발하게 활동한다. 익숙하지 않은 외국 생활에서 버티고 정착하려면 어쩔 수 없이 한인공동체에 들어가야만 한다. 나는 들어가기를 권장한다. 현지 생활에 익숙해지려면 최소 6개월이라는 시간이 필요하기 때문이다. 당신은 매일같이 술 마시며 늦게 귀가하고, 주말에는 골프장으로 도망가 버리면 그만이다. 버려진 가족들이 살아남기 위해서는 종교시설이라도 기웃거릴 수밖에 없다. 커뮤니티 공간에서 많은 정보가 오간다. 그러다 보니 심지어는 당신이 휴일에 무엇을 했는지도 다 알게 된다. 이방인의 생활공간은 매우 제한되어 있고 여러분들의 행동은 그들의 귀에 들어가게 되어 있다. 다시 한 다리만 건너면 현지직원들 귀에도 들어간다. 그만큼 여러분을 지켜보는 이가 많다는 얘기다. 항상 바른 생활 사나이로 인식될 수 있도록 행동하자.

부하 직원들 앞에서 겸손하자. 그들도 당신만큼 엘리트 직원들이다.

그들도 고학력으로 무장한 엘리트 직원들이다. 최소한 당신만큼은 배웠고 당신 이상의 능력을 갖추고 있다는 점을 명심하자. 무수히 스치고 지나간 한심한 지점장들을 보면서 자포자기 심정으로 단지 조용히 살고 싶을 뿐이다. 시키는 대로만 일하는 창의성이 없는 직원들이 아니다. 불량꼰대들이 시키는 일만 하라고 윽박질러대니 그 이상 잘할 수 있는 일도 안 하고 지켜만 보고 있는 것이다.

그런데도 일부 주재원들은 현지 직원들의 역량이 떨어지는 불량감 자로 착각하고 함부로 대하다가 큰코다치는 경우가 많다. 그들 나라에서 내로라하는 명문대를 나왔거나 최고급 승용차를 몇 대씩 가지고 있는 금수저들도 많다. 집안에 언제든지 소송을 도와줄 자문변호사를 두고 있는 경우도 많다. 당신 눈에만 그저 그런 직원으로 보일 뿐이다.

베트남 신입 직원이 국내에서 입사교육을 받다가 쓰러진 적이 있다. 지병이 발견되었는데 생명에 위독하여 긴급하게 수술을 해야만 했다. 회사가 보증을 서고 수술을 진행했는데 수술비가 3천만 원 가까이 나왔다. 오랜 지병을 치료한 것이기에 보험이 적용되지 않았다. 개인 치료비용이나 마찬가지이다 보니 회사비용으로 일부는 처리하더라도 2만 불 정도는 사비로 처리해야 했다. 참으로 난감한 상황이 발생한 것이다. 베트남 직원 월급을 생각하니 몇 년 치 연봉에 해당하는 수술비를 감당할 수 없을 것만 같았다. 그것도 신입사원이 말이다. 부모님께 연락했지만 차마 말을 꺼낼 수가 없었다. 망설이고 있는데 부모 쪽에서 먼저 운을 띄웠다.

"덕분에 의료시설 좋은 한국에서 수술을 받게 해줘서 너무 고맙다.

수술비용은 얼마나 나왔느냐?"

"그게 좀 많습니다. 회사비용으로 처리해드려야 하는데…. 오래된 지병이다 보니 그럴 수도 없고 보험처리가 안 되는 수술인지라…. 2만 불 정도…. 죄송합니다."

"아이 목숨을 살렸는데, 그깟 게 대수인가요?" 다음날 최고급 승용차를 몰고 지점에 나타난 부모가 미화 2만 불을 현찰로 놓고 갔다. 우리같이 뻔한 월급쟁이로서는 연봉 2, 3년 치에 해당하는 현찰을 갑자기 마련하기 어려울 거라 지레짐작하고 고민한 쓸데없는 걱정거리였던 것이다.

업무 전문성을 가지고 공부하는 자세로 그들을 리드하자.
그들에게는 불량꼰대가 아니라 진정한 리더가 필요하다.

주재원이라면 회사의 엘리트로서 업무 전문성을 가지고 그들을 리드할 수 있다는 것을 보여주자. 그들은 무능력한 전임자들을 너무 많이 봐왔기 때문에 크게 기대하지도 않는다. 적어도 문제가 생기면 뒤로 내빼지 말고 적극적으로 달려들어 최소한의 신뢰를 보여주기를 바랄 뿐이다.

현지직원들이 가장 많이 하는 말이 뭔 줄 아는가? "우리 지점장님은 아는 게 하나도 없는 것 같아요. 물어보면 화만 내요. 그래서 저희끼리 그냥 알아서 해요. 그러면 좋아해요."

스타 얼라이언스 동맹체 회원인 ANA와 아시아나의 담당자들이 모여서 업무지원 매뉴얼을 개정하는 회의가 진행되었다. 그 자리에는 일본지역본부의 OOO 매니저가 통역으로 배석했다. 회의가 끝나고 돌아온 OOO 매니저는 내게 씩씩대며 이런 말을 했다.

"회의 중에 통역하면서 창피해 죽을 뻔했다. 아시아나 본사에서 온 A 대리는 매뉴얼 개정 책임자인데 매뉴얼 내용도 제대로 알고 있지 못했다. 어떻게 저런 사람이 몇 년째 아시아나 담당자냐? ANA 담당자가 처음부터 끝까지 하나하나 다 설명해줘야 했다. 이게 무슨 회의냐? A 대리가 교육받으러 온 거였다. ANA 담당자가 내게 A 대리가 아시아나의 업무지원 매뉴얼 담당자가 맞느냐고 몇 번이나 확인했다. 진짜로 창피했다."

"이해하세요. 본사 직원들은 업무가 자주 바뀌다 보니 전문성이 떨어질 수도 있어요." 궁색하게 변명하고 말았다.

"그건 아닌 것 같다. 일본지역 담당자 업무를 맡은 지 얼마 되지도 않은 나보다도 매뉴얼 내용을 모르고 있었다. A 대리는 몇 년째 이 일을 해오면서도 매뉴얼도 제대로 안 읽어본 것 같다."

A 대리는 전 세계에 취항하고 있는 모든 지점의 업무지원 매뉴얼

을 체크하여야만 한다. 유사시 필요한 동맹 항공사들과의 업무지원 절차를 확인하고 보완해야 하는 인물이다. 그런데 정작 매뉴얼 내용도 모른 채 몇 년째 일을 수행하고 있었다.

일본 직원들은 업무시간에 여유가 생길 때마다 회사의 매뉴얼 전체를 숙독한다. OOO 매니저는 자신이 담당한 업무에 관한 모든 매뉴얼을 숙지하고 있었다. OOO 매니저로서는 도저히 이해할 수 없는 일이 벌어진 것이다.

언행에 각별히 유의하자.
차별적 행위로 형사처벌을 받을 수 있다.

차별적인 언행에 주의하자. 일단 소송에 걸리면 외국인인 당신과 회사가 100% 진다고 봐야 한다. 법원과 각종 공공기관에 근무하는 사람들은 공무원이다. 국민을 위해 봉사하는 사람들이다. 자국민을 보호하기 위해서 월급을 받는 사람들이다.

그들의 눈에는 '어디서 굴러먹다 온 지도 모를 개뼈다귀 이방인이 자국민을 괴롭히려고 한단 말인가?' 그저 형편없는 인간들로 보일 뿐이다. 절대로 소송에서 이길 수 없다. 회사가 이길 수 있는 소송에서도 그들은 합의를 종용한다. 결국, 막대한 소송비용과 합의금만 날릴 뿐이다.

현지직원 중 OOO이라는 직원은 과거 3년 동안 작성한 시말서만

해도 책으로 한 권 분량이었고, 회사손해가 수억 원에 달했다. 누가 보더라도 회사가 100%이기는 소송이라며 자문변호사도 확신했다. 소송이 진행되는 2년 동안 월급은 정상적으로 지급해야만 했다. 그래도 소송에서 이기면 다 받아낼 수 있는 돈이라고 판단했다. 어느 날 재판부가 불렀다. 회사가 이기면 월급을 뱉어내야 하는데 재판부가 그렇게 판결을 내려줄 수 없다는 것이다. 자국민인 OOO을 굶겨죽도록 내버려 둘 수 없다는 뜻이다. 회사가 양보하라는 것이었다. 우리는 외국계 기업이니 버텨봤자 손해라는 뜻이다. 결국, 합의했다. 회사는 불량감자가 사라진 것만으로도 만족해야만 했다.

노동법이 근로자 측에 유리한 지역에서는 불량감자들이 회사를 떠날 때 막대한 합의금을 요구하는 경우도 종종 생긴다. 지점장의 부적절한 행위. 특히 차별적 언행 등을 이유로 스트레스를 받아 퇴직하게 되었다고 주장하는 경우가 많다. 회사가 막대한 소송비용을 두려워해서 합의를 보다간 잘못된 선례들을 만드는 것뿐이다. 힘들고 지치더라도 회사도 소송을 통해 직원들에게 회사가 부당한 요구에는 굽히는 않는다는 것을 보여줄 필요도 있다. 합의금 지급 여부는 별개의 문제이다.

3. Local staff(현지 직원) HR 이슈에 관하여

현지어를 모국어로 하는 직원을 채용하라
검은머리 외국인이 한국인일까? 외국인일까?

글로벌 시장에 진출하는 기업들이 성공하기 위해 주재원들의 모범적인 역할수행만큼 중요한 것이 바로 우수한 현지직원들을 채용하는 것이다. 그런데 많은 주재원이 한국적 정서에서 벗어나지 못하고 감정에 이끌리거나 사적인 이유로 부적절하게 현지직원들을 채용하는 경우가 있다. 나는 현지직원 채용이 주재원 선발만큼 중요하다고 생각한다. 어쩌면 더 중요할 수도 있다. 그들은 현지 시장을 가장 잘 알고 가장 열심히 성공을 이끌어내야 하는 핵심인력들이기 때문이다. 현지직원들 채용과 관련하여 내가 정리한 방향성을 참고로 제시하고 싶다. 이 역시 현지에 진출하려는 회사가 처한 상황에 따라 그 기준은 달라질 수 있다. 그러나 많은 시행착오 속에서 내린 방향성이니 시행착오를 줄이고자 한다면 적어도 참고할 가치는 있다고 자신한다.

현지직원은 반드시 현지어를 모국어로 하는 직원을 채용하자.
한국어는 가점일 뿐이다.
유학생이 꼭 필요하다면 단기간 계약직으로 운영하자.

현지직원은 현지어를 모국어로 하는 게 당연한 거 아니야? 이런 의문을 제기할 것이다. 그러나 해외직원들 명부를 들여다보라. 많은 이들이 당황할 것이다. 그만큼 한국어를 모국어로 하는 직원들이 많을 것이다.

비영어권인 경우 연봉을 좀 더 주더라도 현지어를 모국어로 하고 한국어가 능통한 직원을 선발해야 한다. 대부분 해외지점에서 현지어를 잘하는 유학생을 채용하는 경우가 많다. 지점을 개설하는 초기에는 많은 도움이 될 것이다. 그러나 중장기적으로는 지점운영에 큰 도움이 되지 않는다. 꼭 필요하다면 단기간 계약직으로 운영하는 것이 바람직하다. 한국식 보상체계를 원하는 유학생을 동기부여할 만한 현지직원 양성체계를 만들어내기는 쉽지 않다. 오히려 불량꼰대들의 편애로 인하여 유학생 출신들은 현지 직원들과의 갈등의 원인이 될 수가 있다.

3, 4년 주기로 교체되는 아시아나 지점장들은 현지 직원들의 눈에는 그냥 잠시 스쳐 가는 사람들 그 이상도 그 이하도 아니었다.

회사 일에 전념하기보다는 가족들 챙기느라 바쁘고, 공사구별 못하고, 업무는 대충하고, 회사 비용은 물 쓰듯이 한다. 지점장은 한국인 직원만 챙기고, 자신들이 어떤 생각을 하고 있는지 이해하지도 못한다.' 그런 사람들로 비치는 경우가 많았다.

왜 그랬을까? 결론은 하나다. 불량꼰대들 때문이다. 현지문화를 제대로 이해 못 하는 지점장은 자신이 수족처럼 부릴 한국인을 찾을 수밖에 없었다. 그곳에는 한국에서 유학을 간 두뇌 회전이 빠르고 일 잘하는 유학생들이 있었다. 그들은 한국기업에 높은 몸값으로 채용되었다. 현지 직원 급여가 100만 원도 채 안 되는데, 유학생들은 주재원들처럼 집세가 필요하다. 차량이 필요하다는 등의 명목으로 200만 원~300만 원씩 받을 수 있었다. 그들은 지점장을 대신해서 본사에 보낼 보고서를 작성해야만 하고, 집사처럼 나서서 주재원 가족들을 보살펴줘야만 한다. 그러다 보니 그들은 지점장의 필요로 지점에 없어서는 안 될 고급인재들로 포장되었다.

악순환이 연속되다 보니 본사에서 파견한 불량꼰대는 바지사장에 비유되고, 현지 여행사들 사이에서는 한국인 매니저를 실질적인 지점장으로 여기는 일도 벌어졌다. 불량꾼대는 허수아비가 되기를 자청했다. 현지시세가 200만 원인 항공권도 100만 원이라고 현지 매니저가 보고하면 지점장은 본사에 100만 원의 특별가격을 받아서 제공하는 형국이었다. 확인해 보니 지점장의 재량권을 현지 매니저가 다 가지고 있었다. 믿기 어려웠지만 사실이었다.

결국에는 매니저와 지점장 간에 밥그릇 싸움이 일어나는 일도 벌어졌다. 필시 매니저는 지점장에게 한몫 잘 챙겨줬으니 이전 지점장들이 그랬듯이 자기 밥그릇에는 손을 대지 않을 거라 믿었을 것이다. 그런데 언제부턴가 욕심이 과해진 지점장이 매니저와 여행사의 관계를 의심하기 시작했다. 이전 지점장들은 모른 척 묵인해 줬는데, 이번 지점장은 그렇지가 않았다. 온갖 비위행위로 회사 돈을 빼먹는 지점장이 심지어는 자신의 밥그릇까지 손대려고 한다. 가만둘 수 없다는 생각에 회사에 투서를 보낸다. 회사는 신속하게 지점장을 소환하고 사직서를 받는다. 매니저도 인사 조치가 불가피하다.

회사는 결국 잘못 채용한 현지직원과 부적절한 주재원 선발로 골병이 들고 사업을 철수해야 하는 일이 발생할 수도 있다.

현지직원의 언어구사 능력을 검증해야만 한다.
현지직원 채용면접을 할 때는 반드시 현지어를 모국어로 하는 직원을

배석시켜야 한다.

한국인이라고 모두가 한국어를 잘하지 못하는 것과 마찬가지다.

채용면접 시 면접관 중의 한 명은 현지어를 모국어로 사용하는 현지직원이어야만 한다. 현지어 구사능력을 확인하기 위함이다. 현지직원은 채용권한 일부를 나눠 받은 셈이니 상당한 자부심을 가지게 될 것이다. 외모는 깔끔한데 촌티가 나고 저급 표현을 쓰는 지원자가 생각보다 많다. 현지어에 능통하다는 지점장도 현지인이 보면 겨우 의사소통할 줄 아는 말더듬이로 보일 뿐이다. 당신이 제아무리 영어가 능통하다고 해도 영어 몇 마디 듣고 텍사스 출신인지 뉴욕 출신인지 구별할 수 있는가? 고상한 사교영어를 사용하는 이와 학창 시절 껌 좀 씹었던 지원자를 구별할 수 있는가? 그것도 짧은 시간에 면접하면서 말이다.

고급스러운 현지어를 사용할 줄 아는 현지직원이야말로 시장을 개척하고 비즈니스를 원활하게 진행토록 도와줄 수 있는 훌륭한 인재이다. 그런 직원들을 발굴해내야만 하는 것이다.

어렵게 채용한 현지직원은 외국계 회사의 이질적인 조직문화에 적응하기가 쉽지 않다. 위화감을 느끼다가 자칫 도망가기 십상이다. 이때 채용면접에 참석했던 현지직원은 상당한 책임감을 갖게 된다. 자신이 조언한 직원 중에 선발했기 때문에 도태되지 않도록 케어하게 된다. 자연스럽게 신입 직원의 멘토가 되는 것이다. 일석

이조의 효과가 있다.

해외시장을 빠르게 개척하기 위해서는 반드시 현지어를 모국어로 사용하는 직원이어야만 한다.

현지직원으로 채용한 한국인 유학생, 이민자 등은 현지어를 모국어로 하는 현지직원들 사이에 보이지 않는 장벽이 만들어지는 경우도 있다.

불량꼰대는 한국인 현지직원에게 각종 수당을 챙겨주고, 승진과 연봉인상을 약속한다. 그리고 불량꼰대는 자신이 해야 할 많은 일을 한국인 현지직원에게 떠안긴다. 한국인 직원은 자신의 생사여탈권을 쥐고 있는 지점장의 명령을 거부할 수가 없다. 적당히 타협하고 당근을 받아들일 수밖에 없다. 거부하면 채찍을 맞게 되는 것이다. 머나먼 이국땅에서 을의 위치인 그들이 택할 수 있는 것은 현실과 타협하는 것이다. 반면에 대다수의 현지인 직원들은 소외감을 느끼게 된다. 불량꼰대가 신뢰하는 한국인 현지직원 중에는 현지어로 문장 한 줄 제대로 쓰지 못하는 경우도 있다. 한국인이라고 해서 제대로 된 한글문서를 만들어내지 못하는 것과 같다. 그런데도 불량꼰대는 달콤한 보상을 한국인 현지직원에게만 몰아준다.

이런 상황이 발생하면 지점의 실적은 겨우 현상 유지를 할 뿐이다. 제아무리 열심히 팔고 좋은 실적을 내더라도 승진과 연봉인상은 현지직원들에게 돌아가지 않기 때문이다. 상품을 팔고 시장을 개척해서 돈을 벌어올 수 있는 사람은 현지인 직원들인데도 말이다.

주재원이 그토록 신뢰하는 한국인 현지직원이 할 수 있는 일이 아니다. 현지어에 능통하다고 믿고 의지하는 그들도 현지 비즈니스 파트너들에게는 말이 거친 외국인으로 비칠 뿐이다. 소통의 한계로 이심전심이 안 되는데 어떻게 제대로 된 비즈니스를 할 수 있겠는가? 현지시장 개척에 실패하는 가장 큰 요인이다.

아시아나는 지난 30여 년간 전 세계에 판매망을 구축하려고 많은 노력을 기울였다. 현지 주요 여행사들과 성공적인 파트너십을 구축하는 것이 관건이었다. 이른바 매인 스트림 마켓(Main stream market: 현지 대형여행사들이 주도하는 시장)을 공략하기 위해 노력했다. 그러나 유일하게 일본에서만 성공했다. 성공 요인은 단 하나였다. 대한항공 출신 일본인 직원들을 현지 지점장으로 채용했기 때문이다. 역대 일본지역 본부장들 역시 재일교포 출신들이었다. 그들은 일본의 대형여행사들에 어떻게 접근해야 하고 어떻게 협상해야 하는지 잘 알고 있었다.

일본을 제외한 다른 지역들은 주재원들을 지점장으로 내보냈다. 그러다 보니 주재원들은 빠른 정착을 위해 한국인 현지직원들을 채용하고 전적으로 모든 일을 그들에게 맡겼다. 그러나 그들은 언어적 장벽에 부딪히고 인종차별적 문제로 외면당했고 문화적 차이로 현지 여행사들과 트러블이 발생했다. 이 사실을 지점장에게 이실직

고할 수가 없었다. 설령 이 사실을 알게 된 지점장 역시 한국 본사에 보고할 수가 없었다. 스스로 실패를 인정하는 꼴이니 인사 조치가 두려웠을 것이다. 결국, 그들이 두드린 문은 현지에서 교포들을 상대로 항공권을 판매하는 한인여행사가 대부분이었다. 소규모 한인여행사를 통해 매출을 키우는 데는 한계가 있었다. 지점장과 한국인 현지직원들은 부진한 실적을 정당화할 필요성이 있었다. 본사에 보내지는 보고서는 이렇게 작성된다.

"현지 국적 항공사의 극심한 견제, 대형여행사들의 부당한 요구와 승객들의 외국 항공사에 대한 불신 등으로 현지 시장에서 아시아나가 설 자리가 없다. 그러니 본국에서 한국발(한국에서 해외로 나가는 손님) 판매에 집중해 달라. 현지발(현지에서 한국으로 들어오는 손님) 시장공략은 이 이상은 어렵다."

이방인을 배타하고 계급이 존재하는 사회라면 이질감이 없고 자연스럽게 접촉을 허용할만한 직원들을 채용해야 한다. 아시아나는 매년 초에 모든 임원과 팀장, 지점장들이 서울에 모여 전략경영보고세미나를 개최한다. 올해는 사업목표 달성을 위해 이렇게 해보겠다는 사업계획을 보고하는 자리다.

지난 30여 년 동안 한해도 거르지 않고 해외지점장들 입에서 등장하는 단골메뉴가 있다.

다름 아닌 매인 스트림 마켓(Main stream Market: 현지 대형여행사들이 주도하는 시장)을 공략하겠다는 표현이다.

올해만큼은 기필코, 매인 스트림 마켓 공략에 성공해 보일 테니 지켜봐 달라는 것이다. 그러니 지난해까지 공략에 실패한 것은 눈감아달라는 뜻이다. 그러나 다음 해에도 어김없이 매인 스트림 마켓을 공략해보겠다고 선언할 것이다.

그러면서도 주재원들은 현지어도 제대로 구사하지 못하는 한국유학생들을 채용해달라고 목소리를 높였다. 백인주류 사회에 진출하겠다는 지점에서 백인은 단 한 명도 없다. 심지어는 현지어 체득능력이 탁월하다며 어학연수생을 채용해달라며 인사팀을 집요하게물고 늘어지는 일도 있었다.

"그러잖아도 시장이 좋지 않아 힘들어 죽겠는데, 지점에서 원하는사람을 채용도 못 해주면서, 실적을 달성하라고 하는 것은 부당하다. 더는 실적달성 운운하지도 말라."

현지직원을 채용할 때는 역량검증 기간을 최대한 활용하자.
한번 채용하면 불량감자라도 영원히 책임져야 한다.

국가별로 계약직으로 채용하여 역량을 검증할 수 있는 기간이 다르다. 기간에 차이는 있지만, 계약직으로 운영하는 것을 허용하지 않는 국가는 없다. 따라서 계약직으로 채용하여 역량을 검증하고 객관적으로 평가하여 정규직으로 채용하도록 하자. 계약직으로 채용하면 도망갈 수도 있다며 정규직으로 채용해달라고 보채대는 지점장들이 많다. 그러나 그렇게 해서 덜렁 채용한 불량감자 때문에 지점 전체 조직력이 와해되고 생산성이 저하되는 일이 비일비재하다.

중복되는 이야기지만 외국계 기업에 자국민을 불량감자라는 이유로 쉽게 해고할 수 있는 국가는 전무하다고 봐야 한다. 물론 막대한 돈으로 때운다면 가능하다. 그럴 능력이 안 된다면 정규직 채용은 신중에 신중을 기하여야만 한다.

거래처로부터 접대를 받다가 직원으로 채용해달라고 청탁받는 경우도 있다. 외국인들에게 취업비자를 잘 내주지 않는 국가에서 벌어지는 일이다. 취업비자를 받고 나면 도망가는 경우도 비일비재하다. 회사가 자신도 모르는 사이에 비자알선 브로커가 되는 것이다.

각 나라의 주인은 그 나라 사람이다
언젠가는 그들에게 보스자리를 양보하라. 그것이 진정한 글로벌 기업이다

본사의 전략적 방향을 이해하고 목표를 달성할 수 있도록 현지화에 필요한 인재를 확보하자.

현지직원이 10년, 20년 후에는 해외지점의 총책임자가 될 것을 염두에 두고 채용하고 양성하자.

해외주재원이 할 수 있는 역할에는 한계가 있다.

아시아나에서는 본사에서 파견한 해외주재원들과 현지직원들 간의 불협화음이 커지고 있다. 30여 년이 흘렀고 이제는 현지직원 중에 지점장이 나와야 할 시기가 된 것이다. 그러나 여전히 현지 물정을 모르는 새파란 본사 직원이 지점장으로 파견을 나가고 있다. 30

년 가까이 일한 현지 직원들과 융화될 수가 없다.

때가 되면 그 지역을 대표하는 리더로 양성한다는 목표를 염두에 두고 현지직원을 채용해야 한다. 다만 현지화 시점에 HR 측면에서 심각하게 고민해야 할 부분 중에 하나가 컴플라이언스(Compliance: 내부통제) 문제다. 지역에 따라 직원들의 도덕적 가치관이 다르므로 내부통제가 쉽지 않고, 자칫 대형 금전 사고가 터질 수도 있다.

고도의 도덕성 사회를 지향하는 선진국은 회계시스템이 매우 투명하게 운영되고 국가기관으로부터 감시를 받고 있다. 따라서 금전 사고가 발생할 위험이 적다. 크게 걱정하지 않아도 된다.

그러나 아직도 블랙머니(뇌물)가 비즈니스를 위해 정당화되는 국가들에서는 직원들이 금전 사고에 노출될 위험도가 높다. 블랙머니가 있다 보니 내부통제 문제가 발생할 수 있다.

모 지점에서 현지직원이 수천만 원대 수입금을 횡령한 사실이 확인된 적이 있다. 십여 년 전에 일어난 일이고 현지물가 등을 고려하면 수억 원대의 횡령에 해당할 것이다. 그런데 현지직원은 너무나 당당했다. 외국계 기업에 근무하는 현지직원 중에 자신만큼 투명하게 열심히 일한 직원도 없다는 주장을 했다. 황당한 주장이었지만, 그 지역에서는 그 정도의 횡령은 회사가 눈감아주는 게 관례라는 말이었다.

전적으로 신뢰할만하고 통제 가능한 수준의 내부통제 시스템이 갖추어졌다고 판단될 때 현지직원을 대표 자리에 앉혀야 한다. 믿지 못하는 것이 아니고 서로 의심할 필요가 없도록 하기 위함이다. 필요하다면 본사에서 관리담당 부하 직원을 파견하는 것도 하나의 보완책이 될 수가 있다.

중요한 것은 특정 시점이 되면 현지화를 받아들여야 한다는 것이다.

현지직원들과 공감하고 신뢰를 확보할 수 있는 체계를 구축하자.
그들도 여러분들만큼 회사발전을 위해 헌신하고 희생할 준비가 되어 있다.

주재원들이 현지 직원들의 신뢰를 얻기 위해서는 현지 직원들과 공감할 수 있는 능력이 필요하다. 그렇지만 주재원들이 그러한 공감능력을 키우는 데에는 한계가 있다. 통상적으로 많은 기업이 주재원으로 파견하는 기간은 3년에서 길어야 5년이다. 공감능력이 생길 즈음이면 귀임준비를 해야 한다. 따라서 한국어가 능통한 현지인들을 채용해서 그들을 통해 문화적 차이에서 야기되는 갈등을 해소하고, 회사의 목표와 추진전략을 잘 전달할 수 있도록 적절한 커뮤니케이션 환경을 구축할 필요가 있다.

글로벌 HR 관점에서 보면 현지인 직원채용 우선순위는 아래와 같다. 교포 출신으로 현지어를 모국어로 하는 한국계라면 당연히 현지인으로 봐도 무방하다.

1순위: 현지어 모국어 + 한국어 능통자

2순위: 현지어 모국어 + 영어 능통자 + 한국어 가능자

3순위: 현지어 모국어 + 영어 능통자

4순위: 한국어 모국어 + 현지어 능통자

주재원으로 선발되는 인원은 영어는 능통하되 현지어를 못하는 경우가 많다. 따라서 원활한 소통을 위해 현지 직원은 반드시 한국어 또는 영어를 사용할 줄 알아야 한다. 그런데 많은 기업체에서 4순위를 1순위로 놓고 채용을 진행한다. 그리고 망가진 조직문화에 고민한다.

현지인 직원들도 회사의 발전에 똑같이 공헌하고 싶어 하고 그러기 위해 열심히 노력하고 있다. 그러나 멀리 떨어진 현지직원들에게 본사에서는 별로 관심을 두지 않는다. 현지인 직원들은 같은 직원인데도 차별당한다는 오해와 소외감을 느낄 수밖에 없다. 많은 부분이 소통 부재로 인한 약해진 공감대에서 비롯되는 것이다. 회사의 상황을 정확하게 이해할 수 있는 정보를 받지 못하고 일방적인 지시만 받고 있기 때문이다. 한국어가 가능한 직원들이 많다면 그들이 자연스럽게 회사 분위기를 전달할 수 있다. 억지로 공감대를 형성할 필요도 없다.

현지사무소는 한국이 아니다.

현지사무소에서 로마법을 따라야 한다고 하면 로마법을 따르도록 맡기고 믿고 기다려 보자. '빨리빨리'는 해외진출에 장애물일 뿐이다.

해외사무소(현지법인) 개설은 무에서 유를 창조하는 것이다. 급한 마음에 불량감자를 뽑고 잘못된 길로 일단 들어서 버리면 헤어나기가 쉽지 않다. 회사는 결국 실패하고 철수를 해야 할 수도 있다. 그러한 과정에서 너무나 큰 비용과 시간을 허비하게 된다.

회사 내에서 가장 일을 잘하는 직원을 고심 끝에 선발해서 주재원으로 보내는 거 아니겠는가? 일단 파견하고 나면 그로 하여금 최대한 성과를 낼 수 있도록 시간을 주고 믿고 기다려보자.

해외에 주재원 한두 명을 보내서 불모지에 회사를 하나 설립하는 것이다. 쉴 새 없이 일해도 진척도가 마음에 들지 않는 게 당연하다. 사무실계약, 각종 인허가, 직원채용, 각종 세무이슈, 회계기준 확인, 자금 집행 절차, 영업전략, 목표설정, 마케팅, 광고방법 등등 온갖 부서에서 확인토록 지시를 해댄다. 이 모든 것을 한두 명의 주재원과 갓 채용한 현지직원들이 해야만 하는 것이다.

과도한 압박은 결국 부실공사를 초래한다. 결국, 부실공사로 치명타를 입는 쪽은 개인 한 사람이 아니라 회사 전체다. 첫 단추를 잘 끼워야 한다. 평생 염원했던 해외시장 진출에 도전하는 것이다. '기다림의 미학'을 만끽해 보자.

눈치가 9단인 여러분은 글로벌 HR과 관련하여 쭉 읽어오면서 하나의 팩트에 집중하고 있다는 사실을 인지하였을 것이다. 회사의 글로벌화 전략에 성공하기 위해서는 먼저 훌륭한 리더십을 가진 주재원을 선발해서 내보내야 한다. 그리고, 먼 훗날 현지화에 대비하여 훌륭한 리더십을 가진 현지직원을 채용해야만 한다는 것을 강조하고 싶다.

지난 3개월간 원고를 쓰는데 대부분 시간을 할애했다. 어떤 내용을 담아야 할지 몰라 갈팡질팡했다. 그럴 때마다 방향성을 제시해 준 선배가 있다. 진도를 체크해주고 자기 생각을 피드백해 주었다. 중간중간에 숙제검사를 받는 그런 느낌이었다. 숙제를 못 하겠다며 뒤로 나자빠질 수는 없는 일이었기에 이 책을 끝낼 수 있었다. 선배는 적절하게 동기부여를 해 준 것이다. 훌륭한 멘토를 만난 것이다. 같은 일을 해 오면서 선배와 벌써 20여 년 넘게 동고동락한 것 같다. 그 선배에게 진심으로 감사의 마음을 전하고 싶다.

이 책이 어떤 이에게 어떤 도움이 될지 현재로써는 알 수 없다. 나의 독선이고 편견이라 느낀 이들도 있을 것이다. 다만 한 가지 분명한 사실이 있다. 이 책에는 인사담당자들의 경험과 고민이 담겨 있다는 점이다. 현장에서 여러 상황에 직면해 있는 많은 인사담당자가 공감하고 동의한 내용만을 남겼기 때문이다.

이 책을 낸 목적은 단 하나다. 이 책을 읽는 이들이 조금 더 행복한 하루를 만들 수 있기를 바라는 마음이다. 한 번 더 고민하기를 바라는 마음이다. 그러다 보면, 적어도 이 책을 읽은 누군가는 '갈등'하거나 '플랜 B'를 준비할 것이다. 아들의 말처럼 '팩폭', 조카의 말처럼 '정신 차리기', HR 전문가가 되고자 하는 후배의 말처럼 '인사실무자들이 공감하는 지침서'로서 모두에게 도움이 되기를 희망한다. 모두가 자신의 행복을 찾아가는 과정에 이 책이 있기를 바라는 것이다. 이런 나의 바람은 이루어질 것이다. 나를 사랑하는 부모님과 가족들, 그리고 나를 응원하는 많은 이들이 이 책을 읽으면서 흐뭇한 마음에 행복해할 것이기 때문이다.

골방에 틀어박혀 글쓰는 나를 향해 "이제는 하고 싶은 일을 해보세요. 당신을 믿어요." 라고 망설임 없이 말해준 집사람에게 손하트를 날려주고 싶다.

끝으로 이 책의 이름을 지어 세상에 나오도록 많은 아이디어를 제공한 뮤지컬을 사랑하는 현서 님에게 진심으로 감사의 말을 전하고 싶다. 며칠 밤낮을 고민하며 헤매고 있던 나에게 빛을 선사한 이다. 지난 25년간 메모를 보낼 때 맨 마지막에 습관적으로 넣었던 문구를 여러분들에게도 보내고 싶다.

"행복한 하루 만드세요."